coisas que descobri sobre
**CORRUPÇÃO
E POLÍTICA**
quando fui candidata

Míriam Moraes

coisas que descobri sobre
CORRUPÇÃO E POLÍTICA
quando fui candidata

Um guia para candidatos e interessados em entender como funcionam as campanhas eleitorais e os bastidores da corrupção.

Copyright © 2018 by Míriam Moraes

1ª Edição — Abril de 2018

Grafia atualizada segundo o Acordo Ortográfico da Língua Portuguesa
de 1990, que entrou em vigor no Brasil em 2009.

Editor e Publisher
Luiz Fernando Emediato

Diretora Editorial
Fernanda Emediato

Assistente Editorial
Adriana Carvalho

Capa e Projeto Gráfico
Alan Maia

Preparação de Texto
Nanete Neves
Palmério Dória

Revisão
Marcia Benjamim de Oliveira

DADOS INTERNACIONAIS DE CATALOGAÇÃO NA PUBLICAÇÃO (CIP)
(Câmara Brasileira do Livro, SP, Brasil)

Moraes, Míriam
    10 coisas que descobri sobre corrupção e política quando
fui candidata : um guia para candidatos e interessados em
entender como funcionam as campanhas eleitorais e os bastidores
da corrupção. / Míriam Moraes.
-- São Paulo : Geração Editorial, 2018. --

    ISBN 978-85-8130-398-7

    1. Política I. Título.

14-07974   CDD: 320

Índices para catálogo sistemático

1. Ciência política   320

GERAÇÃO EDITORIAL

Rua João Pereira, 81 – Lapa
CEP: 05074-070 – São Paulo – SP
Telefone: +55 11 3256-4444
E-mail: geracaoeditorial@geracaoeditorial.com.br
www.geracaoeditorial.com.br

Impresso no Brasil
Printed in Brazil

Para a minha irmã, Sílvia, companheira de todas as minhas viagens malucas.

E para os amigos virtuais que me ajudaram a combater cobras e lagartos.

Para todos, meu amor e gratidão.

SUMÁRIO

DESCOBERTA NÚMERO 1 11
Só entende de política quem se aprofunda. De perto, nada é normal.

DESCOBERTA NÚMERO 2 15
Na porta de entrada, quase todos são movidos por ideais sublimes.

DESCOBERTA NÚMERO 3 21
Uma campanha custa bem mais que os olhos da cara.

DESCOBERTA NÚMERO 4 27
Oferecem de tudo para você, menos flores.

DESCOBERTA NÚMERO 5 33
O voto é quase sempre uma moeda de troca, do mais humilde ao mais abastado eleitor.

DESCOBERTA NÚMERO 6 47
Não existe sindicato dos miseráveis, nem dos desempregados, nem das empresas falidas.

DESCOBERTA NÚMERO 7 51
Basta virar candidato para ser chamado de ladrão.

DESCOBERTA NÚMERO 8 57
Campanha é um circo em que boa parte dos eleitores e candidatos disputa o troféu de mais patético.

DESCOBERTA NÚMERO 9 65
O devastador resultado das coligações: a hora de cobrar o apoio.

DESCOBERTA NÚMERO 10 71
Ninguém aparece nos jornais por acaso. A imprensa é o maior e mais caro dos cabos eleitorais.

DESCOBERTA NÚMERO 1

Só entende de política quem se aprofunda.
De perto, nada é normal.

Esse é um assunto sobre o qual nunca falo. Passei um tempão fingindo que não aconteceu, que não vi o que vi, e só decidi falar agora porque o lixo vazou pelas beiradas num emaranhado fétido. Pode ajudar a traduzir coisas que vêm sendo colocadas só em partes, meias verdades, tanto por políticos como por eleitores, e até pela imprensa.

Eu não falava sobre isso, porque achava que, com o tempo, aquelas distorções insanas poderiam mudar, e como havia sido fisgada por um cupido vesgo, ficava ali tentando dar um trato no objeto da minha paixão, passar gel no cabelo, colocar uma roupa melhorzinha antes de apresentá-lo à sociedade.

Tanta gente se tomou de amores pelo Wolverine do cinema, eu fui logo me encantar pela Política. Como todo apaixonado, acreditava que poderia dar um jeito nela, que a Política só precisava de um toque especial para se transformar de sapo em príncipe.

11

Desde menina, olhava para a Política cheia de ilusões. Achava que entendia o básico sobre algo sublime capaz de mover o mundo. Como a maioria das pessoas, acreditava que isso só dependia da vontade dos políticos. Na verdade, a gente não sabe de nada enquanto olha a Política de fora. Só quando virei candidata, pude chegar mais perto, e quanto mais próximo eu observava, mais feia ela me parecia.

Acontece que, quanto mais defeitos via, mais era tomada de amores por ela. Era meio como prestar atenção e conviver um pouco mais com um cara bruto, ogro mesmo, e descobrir que ele foi espancado pelos pais na infância, sofrido violência nas ruas, um arsenal de sandices que causam estragos na fase adulta e ninguém vê. Então, você se pega querendo dar colo, tratar os traumas, limpar as feridas, proteger.

Mas é verdade. A Política ficou assim de tanto que apanhou, foi torturada, deformada pela família toda durante séculos a fio. Assim como o patinho feio, esculhambado pelos pais, irmãos e amigos, a Política foi muito maltratada pelos políticos, imprensa e eleitores. Desde o início, consegui enxergar o cisne por trás daquela aparente feiura. E continuo enxergando.

À primeira vista, fiz a mistura que todos fazem, cheguei a pensar que a Política e a Corrupção eram a mesma coisa. Nada a ver.

Um *spoiler* sobre a minha candidatura: desisti logo na largada. Outros dois pontos que adianto, para não alimentar dúvidas:

1. Não voltei e nem voltarei a me candidatar. Portanto, fique tranquilo. Não quero atrair eleitor nem voto.

2. Não me considero a "diferentona" que esnoba os que mergulharam na lama do processo e se supõe sem escoriações, limpinha. Apesar da desistência precoce, tiro o chapéu pra muita gente que fez o que não tive estômago pra fazer. Mas só vou contar tim-tim por tim-tim lá no final. Ok?

Mas, se pensa que desisti da candidatura, saí chocada quando vi a realidade nua e crua e fui pra casa chorar o fim das minhas ilusões, errou feio. Fiquei ali, de camarote VIP, disfarçada de candidata pra ver o que rolava, de um lugar privilegiado. Acho que já era meu instinto de jornalista brotando. Tive a chance de ser uma espectadora com acesso aos bastidores, uma oportunidade única.

Abrir mão da disputa me permitiu ficar de olhos bem abertos, sem embaçar a visão do conjunto. Podia ficar observando como os que se relacionavam com Ela se comportavam, como Ela era tratada por aqueles com os quais Ela convivia mais intimamente. Foi como assistir às gravações de um filme de dentro do estúdio, vendo o acionamento dos equipamentos, o acender e apagar das luzes, a definição do ponto onde lançam o foco e os espaços que escondem nas sombras, para que ninguém perceba como Wolverine troca de figurino, de onde surgem aquelas garras de aço.

Aproveitei para ver de perto os detalhes da produção que resulta no filme pronto e acabado, exibido nas telas dos cinemas para uma plateia que acha que está vendo tudo, mas só fica com a ilusão servida ao espectador que pagou ingresso. Os bastidores são o melhor do filme. Vamos a eles.

DESCOBERTA NÚMERO 2

Na porta de entrada, quase todos são movidos por ideais sublimes.

Há sempre um grande número de candidatos que são filhos de políticos, esposas e até laranjas de corruptos impedidos de concorrer por restrições judiciais. Tem, sim, muita gente que se candidata por mero oportunismo, os que desde o começo se relacionam com a corrupção, não com a Política. Mas a maioria dos que atravessam a soleira e pisam no degrau inicial da carreira é composta de gente que tem real desejo de produzir mudanças.

Note que não me refiro aos "eleitos", mas aos "candidatos", já que se repetem na lista de vencedores os nomes e sobrenomes de sempre, ano após ano. A média de renovação quase nunca atinge a metade dos que já estão nos cargos, sendo boa parte dela composta de figuras que já ocuparam essas cadeiras em outros mandatos, muitos deles estão lá a vida inteira. Ou seja, são poucos os novatos que saem vencedores em cada pleito.

Para ilustrar, vou contar um pouco sobre mim e as razões que me levaram a ser candidata, para que compreenda, sob minha ótica, o relato a seguir, um retrato do que vi e vivi durante alguns meses; e também para que entendam que — salvo algumas exceções — não acredito que alguém se torne candidato para ser um corrupto, embora muitos mantenham a escrita.

Primeiro, é preciso dizer que senti na pele, predominantemente na infância, coisas como a fome e um monte de mazelas que a pobreza carrega em si. Isso é importante. Faz muita diferença. Quando você supera essa etapa da vida, se imagina a solucionar o problema de quem não teve a sorte de sair e permanece lá. Mas, vale também para atinar a razão dos aparentes "erros" que apontavam no meu procedimento quando me tornei candidata, e afastavam de mim os pretensos apoiadores iniciais.

Sétima filha de uma prole de dez, meu pai faleceu quando eu tinha dez anos. Embora não nos deixasse faltar o essencial, foi o tipo de maluco que colocava tudo o que ganhava em dois orfanatos que assumiu, nos tempos em que o poder público não dava a mínima para a infância desvalida e abandonada. Era como se meu pai tivesse a nossa e mais duas outras famílias gigantes: o orfanato, para meninos, e o outro, para meninas. O que tinha de bom e de melhor acabava indo para as casas das crianças órfãs. Fazia uma certa lógica, eu mesma ficava mais com meus irmãos postiços do que em casa.

Meu pai não fazia distinção. No Natal, todos ganhávamos roupas novas, vestidos do mesmo tecido, cor e modelo para todas as meninas — de casa e do orfanato — , calças e camisas para os meninos, tudo igualzinho, como um uniforme de festa. Aprendi muito bem que gente é igual, criança é igualzinha no sentir, no querer, nas necessidades, independente da origem, cor e condição social.

Meu pai era um cara incrível. Quando morreu, deixou dezenas de órfãos. Os do orfanato ganharam o apoio de novos voluntários, já os consanguíneos tínhamos uma casa própria, embora simples, ainda sem reboco, em construção, mas era um bom teto. E tínhamos mãe, irmãos mais velhos. Estávamos em vantagem na largada para a disputa rumo a "um lugar ao sol", mas a batalha inicial era mesmo por um prato de comida na mesa.

Aos doze anos, comecei a trabalhar com essa finalidade, a de ajudar a garantir comida para tantas bocas, e ganhei uma vantagem com isso. Num tempo em que universidade era uma quimera para quem não podia pagar ou viver só para estudar, a única alternativa para quem trabalhava era ganhar tempo de prática. Aos dezoito anos, já estava com lastro profissional bem mais amplo que muito filho de pai vivo e protetor. Não recomendo a receita, mas é sempre melhor olhar com bons olhos os trancos e barrancos da vida.

Enfim, já bem-posta na carreira de empresária, casada, dois filhos e um enteado, três crianças saudáveis, com direito a Danoninho, Toddynho e todas as coisas que as classes A e B podem proporcionar aos seus, li no jornal que se encerrava naquele dia o registro de candidaturas.

Li sem qualquer interesse. À exemplo de meu pai, quase todos os irmãos éramos ligados a diversas formas de ativismo social, e, embora fosse uma empresária bem-sucedida, não me tornei indiferente às desigualdades do mundo.

Calhou que, nesse dia, fui levar uma cesta básica — arroz, macarrão, feijão, óleo — na casa de uma família assistida por um grupo, do qual eu fazia parte. Lá estavam dois meninos, um de sete anos, outro que mal chegava aos dois. A mãe, empregada doméstica, estava trabalhando, e tinha incumbido o maiorzinho de fazer a comida para os dois tão logo eu chegasse. Como havia prometido levar antes do meio-dia, e cheguei bem na hora, eles me esperavam à beira de uma trempe feita de um amontoado de tijolos, já com uma panela velha de água fervendo, ansiosos para colocar lá dentro alguma coisa que aplacasse a fome –- estavam sem comer desde a sopa que servimos na tarde anterior.

Saí de lá com um nó na garganta e a revolta que faz a gente querer bombardear o planeta pra ver se brota algo melhor no lugar. Foi quando lembrei. Era o último dia de registro das candidaturas para entrar no time daqueles que podem fazer mais do que levar cestas básicas e continuar assistindo os diversos tipos de misérias que circundam a vida de quem não tira a sorte grande, como eu havia tirado em diversos lances da minha história.

Muitos me aconselhavam a entrar na Política. Desde a adolescência, não conseguia olhar o mundo sem o filtro da ação política. Diziam que tinha a meu favor uma biografia perfeita para atrair a confiança dos eleitores e a capacidade necessária de trabalho que esperavam de um político.

Num impulso, simplesmente fui lá e me registrei, sem pensar muito no que estava fazendo. Não levei em consideração as implicações que acarretariam no meu cotidiano. A única coisa que eu tinha em mente era que levar cestas e mais cestas básicas, gerar algumas dezenas de empregos até que era um caminho, mas não estava funcionando. Acabava sendo algo como lançar gota d'água no deserto. Era um exercício constante de escolha entre quem comeria ou passaria fome durante a semana.

A partir daí, conheci colegas que também tinham lançado candidaturas meio que do nada. Apenas buscavam alternativas para transformar a Política e, através dela, quem sabe mudar alguma coisa. Muita gente tem essa autêntica motivação: contribuir com sua experiência na área da educação ou da saúde, no desejo simples de promover mudanças que resultem na promoção da justiça social. Ou seja, por razões verdadeiramente nobres.

É no decorrer do processo que tantos mudam. A partir do momento em que você se torna um candidato, toda a sua estrutura emocional e pendores inconscientes brotam como semente soterrada quando recebe chuva. O terreno torna-se subitamente fértil, inclusive de ervas daninhas. Pode despertar a vaidade inconsciente, os instintos mais primitivos da competitividade. Muitos chegam ao nível da barbárie dos gladiadores nos estádios da Roma antiga, adotando um vale-tudo assustador. O desejo de vencer a disputa pode surgir como um monstro que devora ideais, fenômeno muito bem retratado no livro — ou filme — *O Senhor dos Anéis,* ou nas sessões da Câmara Federal ou do Senado, que podemos assistir ao vivo e em cores todos os dias na tevê. O objetivo simplesmente deixa de ser a mudança que querem produzir no mundo e passa a ser a conquista de um lugar no pódio. Ou, como no famoso comercial de cigarro do craque Gerson: levar vantagem.

Tive a sorte de não acontecer comigo, talvez por já ter entrado com um pé atrás, desconfiada de tudo e de todos, de olho principalmente em minha integridade, certamente pela formação herdada dos meus pais. Ou talvez por já ter obtido as conquistas que eu queria na minha vida pessoal. O fato é que algum elixir mágico me manteve de olhos abertos para enxergar a fogueira das vaidades, o que me deu o distanciamento necessário para o que passo a relatar.

> NÃO QUEIME NA LARGADA

✔ **A primeira coisa que um candidato precisa definir é**: por que você é candidato? Não vão parar de perguntar. Então, não vacile. Tenha uma resposta na ponta da língua.

✔ **Nem tente usar aquela coisa manjada.** Não se coloque na posição de quem foi aclamado pelo povo. Essa resposta padrão já fez algum sucesso, hoje não cola mais. O povo está mesmo é atirando ovo em político.

✔ **Nunca se apresente diferente do que você é**, nem tente falsear histórico profissional, inventar habilidades e vivências que não tem. Se a candidatura prosperar, não apenas seus opositores, mas até os colegas irão atrás de incoerências para cortar suas asas.

✔ **Tente adequar a identidade da propaganda a quem você de fato é**. Simular uma cultura ou instrução que não possui acaba fazendo você parecer falso.

✔ **Se for produzir vídeos para a internet ou TV**, o treinamento para desempenho diante das câmeras precisa começar meses antes da campanha. Não é fácil adaptar o discurso pessoal ao ambiente frio das gravações.

**DESCOBERTA
NÚMERO 3**

Uma campanha custa bem mais que os olhos da cara.

Quando você é rico, branco e bem-falante, não falta quem esteja disposto a injetar dinheiro e apoiá-lo. Por isso, os políticos são tão diferentes do povo que a gente vê nas ruas, variado, misturado, homens e mulheres de diversas idades, cores e estilos. Note que eles, os políticos, parecem seres à parte, quase todos com pele mais branca do que a gente vê na TV, saídos de um museu de cera. No Congresso, a faixa etária de deputados e senadores está bem acima da média do mundo real. E também me causa espanto o número pífio de mulheres: apenas dez por cento de senadoras e deputadas. Um vexame. Outra evidência de descolamento da realidade.

Apesar de muito jovem, já era uma empresária bem-sucedida, mesmo não sendo lá uma milionária. Tinha aquele *kit* básico da classe média: empregada doméstica, motorista pra levar e buscar filho na escola, carro reluzindo de novo pago sem carnê de prestação, viagens que incluíam o direito de pisar sobre o tapete vermelho da TAM — na época era um luxo — e ser tratada como casta superior pelos comissários de bordo em viagens nacionais, ou como divindade nas viagens internacionais, como faziam no tempo em que os clientes eram bem mais raros e disputados com mimos.

Mas, quando fui informada do valor que os candidatos investem numa campanha para vereador ou deputado, fiquei perplexa. Bancar isso era algo inalcançável. Estava bem acima do patamar que imaginei. Como tudo é questão de referencial, diante daquilo, me vi imediatamente transferida para a categoria dos pobres.

Vence eleições — sentenciavam — quem faz *outdoor*, contrata cabos eleitorais para agitar bandeiras com o seu nome em cada esquina, quem paga profissionais de primeira para criar logomarca; um *jingle* custava uma exorbitância; presença nas redes sociais, e imprensa, imprescindível; panfletos, o sangue; e cartazes com foto, o oxigênio das campanhas.

A velha máxima "Quem não é visto não é lembrado" deve ter sido criada para definir o custo de uma campanha eleitoral. Entendi que seria preciso um verdadeiro exército a meu serviço para projetar o meu nome.

(Calma, logo falaremos das poucas, raras situações, em que você poderá enquadrar sua candidatura caso não tenha todo esse patrimônio.)

Os limites de gastos em campanhas estabelecidos pelo TSE (Tribunal Superior Eleitoral), que é quem define as regras da disputa, são os seguintes:

CAMPANHAS DE VEREADORES E PREFEITOS

Capitais	Limites para Prefeito	Limites para Vereador
São Paulo (SP)	R$ 45,4 milhões	R$ 3,2 milhões
Belo Horizonte (MG)	R$ 26,6 milhões	R$ 607 mil
Rio de Janeiro (RJ)	R$ 19,8 milhões	R$ 1,3 milhões
Salvador (BA)	R$ 14,6 milhões	R$ 396 mil
Fortaleza (CE)	R$ 12,4 milhões	R$ 460 mil
Curitiba (PR)	R$ 9,5 milhões	R$ 465 mil
Cuibá (MT)	R$ 9 milhões	R$ 492 mil
Manaus (AM)	R$ 8,9 milhões	R$ 551 mil
Palmas (TO)	R$ 7,7 milhões	R$ 844 mil
Campo Grande (MS)	R$ 6,6 milhões	R$ 643 mil

Fonte: www.todapolitica.com/limite-de-gastos-de-campanha-em-2016/

Com um suposto fim da doação por empresas, algo que ninguém acredita que vá acontecer na prática, os valores anunciados caíram substancialmente. O problema passa a ser a fiscalização. Quem for amigo "do rei" gasta o quanto quiser, os outros precisarão cumprir um valor irrisório se não quiserem ter a candidatura cassada ou até o mandato depois de eleito. Estão fazendo uma encenação que dará mais poder às decisões políticas do TSE do que aos votos.

DE ACORDO COM O TSE, OS LIMITES EM 2018 SERÃO OS SEGUINTES:

Presidente da República: R$ 70 milhões;

Governador: de R$ 2,8 milhões a R$ 21 milhões, conforme o número de eleitores do estado;

Senador: de R$ 2,5 milhões a R$ 5,6 milhões, conforme o número de eleitores do estado;

Deputado federal: R$ 2,5 milhões;

Deputado estadual e deputado distrital: R$ 1 milhão.

Fonte: https://g1.globo.com/politica/noticia/tse-define-que-candidatos-poderao-financiar-as-campanhas-com-recursos-proprios.ghtml

Note que o valor de campanha de um deputado estadual foi reduzido para menos de um terço do valor da campanha de um vereador em 2016.

Assusta, não? Mas seja forte, respire fundo. É bem pior que isso.

Apesar de o TSE definir esses limites, o valor declarado é quase sempre muito menor do que o montante realmente gasto. De acordo com a Lei Eleitoral, uma empresa pode doar até 2% do seu faturamento anual e abater essa quantia no Imposto de Renda. Ou seja, o faturamento oculto, não declarado, não conta.

A maior de todas as mentiras é que o dinheiro doado pelas empresas não é público. Se descontam do que deveriam pagar em impostos, ele é, na prática, dos contribuintes. Funciona como uma dívida que você tem a receber e que deixa de entrar porque foi usado na campanha. Portanto, a lenga-lenga de que o custeio de campanhas não pode sair do estado, seria mais útil se destinado à saúde, educação, é pura embromação. De todo jeito o dinheiro sai mesmo do nosso bolso.

Mas, note que o valor regulamentado de doação legal pelas empresas é muito baixo, e é por isso que existe o chamado caixa dois. Tanto as empresas doadoras, quanto os partidos e candidatos, extrapolam esses limites definidos por lei e não podem confessar publicamente. Na eleição de 2014, teve candidato a deputado federal eleito pelo Rio de Janeiro que declarou ter gasto apenas 52 mil reais na campanha. O TSE não achou esquisito, mesmo com a média de gastos por deputado ter sido de 6 milhões de reais. A conferência dos gastos pelo TSE ou pelos tribunais dos estados pode ser rigorosíssima. Ou não. Tudo depende das relações dos candidatos com quem faz a conferência. Com 52 mil reais você consegue, no máximo, se eleger líder de classe em escola de ensino médio.

Por que políticos eleitos fazem isso, declaram valores fictícios? Quem bate o olho ali já sabe que tem treta. É que o eleitor não costuma conferir, e a maioria prefere ser iludido, não quer saber nem aceitar a verdade. Então, tanto as empresas doadoras como os candidatos escondem as sobras de campanha, não as declarando nas prestações de contas.

A porção Alice no País das Maravilhas que havia em mim se revoltou, se rebelou e decretou que aquilo era simplesmente inaceitável. Mas descobri ao longo do tempo que eu estava errada. Por quê?

Vamos supor que você queira libertar sua cidade de um partido extremamente corrupto, que sempre elege seus candidatos valendo-se de todos os modos de falcatruas que caracterizam os políticos e partidos sem escrúpulos; e que, além do que gastam nas campanhas, usam seus mandatos para sugar ao extremo os cofres públicos, deixando a cidade em situação de precariedade absoluta, e o povo, mergulhado na pobreza. Você assiste a isso por décadas. As pessoas ou partidos que querem mudar esse estado de coisas entram para concorrer no limite estrito da lei, fazem campanhas com seus parcos reais, e acabam invariavelmente derrotados pelo partido e candidatos de sempre, que gastam fortunas doadas por empresas. Não se iluda: elas continuarão a exercer o seu poder, mesmo com as mudanças na legislação.

Num sistema injusto, o TRE (Tribunal Regional Eleitoral, órgão do Poder Judiciário, encarregado do gerenciamento de eleições em âmbito estadual) opera como um defensor do partido sem escrúpulos — as instituições comumente são cooptáveis —, tal como funcionava por exemplo no regime escravagista, reproduzindo um sistema carcomido para a perpetuação dos corruptos no poder. A consciência coletiva não muda antes das ações públicas que visam modificá-las. A tarefa que nos resta é mudar isso lá dentro.

"Nossa! Então você está endossando a corrupção?"

Não. Estou dizendo que um cirurgião só vai estancar uma hemorragia interna se conseguir lidar com o sangue do corte em que precisa fazer a incisão.

"Ah, mas tem muitos candidatos que entraram sem usar dinheiro sujo."

Dinheiro não é a única forma de vantagem ilícita ou injusta num processo eleitoral.

É preciso lembrar: muito do que se obteve de avanços no Brasil, e em diversas regiões, aconteceu pela ação de quem fez administrações melhores, mesmo não conseguindo mudar tudo de uma vez. Afinal, aplacar os vícios históricos de um sistema consolidado é um pouco mais complicado. E, por menos que a gente goste de lidar com a realidade, o fato é que dificilmente haverá vitória dos mais éticos atuando no limite estrito da lei contra aqueles que podem burlá-las indefinidamente.

> SEJA OPORTUNO, NÃO SEJA OPORTUNISTA

✔ **Você já dever ter notado que há um número ultrajante de candidatos** a cargos legislativos em cada partido. Cada coligação reúne centenas deles, justificável quando se analisa a igualdade de oportunidades para quem quer entrar na vida pública. Mas, é também a razão pela qual só os candidatos com maiores chances de eleição recebem alguma ajuda dos partidos, normalmente os que concorrem à reeleição. Mesmo para esses, a ajuda é ínfima e insuficiente para arcar com a campanha. Os demais terão que se virar.

✔ **A questão do voto em lista, na Reforma Política, é uma alternativa**. Mas, como já expliquei isso no meu livro anterior, *Política*, não vou repetir aqui essa parte sobre o sistema. Há, contudo, outra razão para que os partidos incentivem as candidaturas proporcionais (deputados, vereadores e senadores): quanto maior o número de candidatos, mais o nome do partido e dos majoritários (presidente, governador ou prefeito) será defendido nas ruas. Afinal, ninguém em sã consciência vai atacar o próprio partido enquanto faz campanha como candidato da sigla. Assim, mesmo os candidatos a deputado ou vereador que tiverem recebido apenas dez votos, terão levado dez votos para o partido.

✔ **Muitos cometem o grande erro de esconder o partido e o candidato** majoritário na esperança de conquistar votos para si. Independente da preferência do eleitor por outras propostas, isso pode parecer vantajoso, mas é um tiro no pé, passa falta de coerência ideológica e oportunismo, como se você só estivesse nesse grupo para tirar vantagens pessoais. Ao contrário, cole, grude sua imagem na dele. Por menor que seja o número de votos de um prefeito, governador ou presidente, será sempre muito mais do que você precisa para se eleger.

DESCOBERTA NÚMERO 4

Oferecem de tudo para você, menos flores.

Retomando a minha história. Descobrir o valor real dos custos das campanhas teve o efeito de um *tsunami* caindo sobre o meu castelinho de areia. Eu já tinha me preparado para o básico, o salário de vereador estava na casa dos 4 mil reais, eu pagaria o dobro entre salário e moradia para a pessoa que iria trazer de Brasília para assumir meu lugar na empresa. Calculava uma perda mensal de 4 mil mensais e aceitava isso como uma doação pessoal justificável, já que era para contribuir para o bem comum. Mas essa cota de sacrifícios não bastava. Seria preciso investir centenas de vezes o salário que eu receberia durante os quatro anos de mandato. Um dinheiro que eu não tinha.

Quem disse que existe problema sem solução? Logo depois de registrar minha candidatura, comecei a receber ligações no escritório de empresas de diversos setores.

"Queremos apoiar e contribuir financeiramente com sua campanha."

Alguém lá no alto parecia gostar muito de mim. Mas aprendi com minha mãe a duvidar de todo milagre grande demais vindo de santo que eu não conhecia.

No começo, agradecia o interesse, e dizia que retornaria assim que tivesse um planejamento do material que usaria na campanha, para ter uma noção dos custos. Eles falavam algumas coisas que eu, simplória de estrada, não compreendia muito bem. Coisas como "temos estrutura para montar equipe e blá-blá-blá".

Como o milagre se repetiu com frequência, decidi usar franqueza para entender o que esses "benfeitores" tinham visto em mim para me dedicar tamanha confiança e apoio.

"Nível de instrução superior" — disse a voz do outro lado da linha —, "boa aparência"— algo a ver com ser branca?; fiquei na dúvida —, "razoavelmente conhecida" — eu fazia umas propagandas de produtos que minha empresa vendia em rádios e televisão —, "bem-falante, e... empresária".

"Mas minha plataforma é a da política para os desassistidos, não para empresários. Por que vocês me ajudariam com dinheiro?"

A resposta, não lembro ao pé da letra, mas o significado eu nunca esqueci, foi algo assim:

"Nossa empresa presta serviços para a prefeitura, e boas parcerias são a garantia de bons negócios. Nós garantimos a sua vitória na eleição, você garante nossas vitórias nas licitações. Não lhe parece um acordo justo?".

Me senti como aquelas meninas ingênuas que acreditam que o cara só queria mesmo te levar para o motel para conversar mais à vontade. Entender de uma vez por todas a razão da "gentileza" foi, pra mim, como um soco seco na cara.

Fui atrás dos colegas candidatos de diversos partidos para ver como estavam lidando com a questão dos custos. Descobri três coisas:

1. Eu era aparentemente uma "sortuda". Quase todos estavam correndo atrás daquele exato modelo de ajuda financeira para a campanha que eu havia dispensado, mas, por outro lado, também não era a única contemplada. As mesmas empresas ofereciam dinheiro para vários candidatos dos mais diversos partidos, fossem da direita ou da esquerda. Era como se analisassem os cavalos de corrida nas baias; escolhiam os que consideravam com chances maiores de vitória e faziam suas apostas em vários deles. Assim não corriam o risco de ficar de fora, caso um ou outro não fosse eleito.

2. A maioria dos meus colegas candidatos já sabia de cor e salteado o que eu contei como novidade, que campanha é toma lá dá cá. Os eleitos, disputando reeleição, se mantinham meio afastados dos marinheiros de primeira viagem, não por acaso. Nossa conversa era em boa parte sem a menor conexão com a dureza da realidade, embora muitos já eleitos fizessem esforço para mudar o sistema.

3. Para muitos dos candidatos, a vitória já se tornara o objetivo principal. Criavam mil e uma desculpas para justificar os meios que estavam assimilando tão rapidamente.

Então, tive a ideia de formar uma comissão de candidatos da minha coligação para, juntos, batermos na porta do partido e pedir uma solução. Até aquele momento a legenda não havia anunciado ajuda financeira alguma. Foi durante a minha fala com um representante do partido que consegui ouvir a mim mesma, escutar o que eu dizia, e me dei conta da incoerência. O sistema vigente era, e na prática ainda é, o "financiamento privado de campanhas", e financiamento privado significava exatamente isso: as empresas doam para receber de volta em forma de contratos que, para recuperar os gastos nas campanhas, acabavam sendo superfaturados. Não, não havia nenhuma delas interessada em contribuir sem nenhum vínculo, simplesmente pela construção da "paz mundial", muito menos por justiça social.

Naquele ponto, a fase "Alice no País das Maravilhas" já estava superada. Entendi que se tratava de um jogo de trocas, uma barganha, simples assim. Tive de admitir que, no fundo, o que eu pretendia com minha conversa no diretório (confesso, tomar consciência disso me deixou envergonhada) era, na verdade, que o partido aceitasse e fizesse por nós o que eu considerava feio, desonesto.

Eu queria "terceirizar" o que via como serviço sujo, usá-lo a meu favor como se não soubesse a que meios teriam que recorrer para, assim, continuar com as minhas mãos limpas. Uma contradição... desonesta.

Lembrei da verba de participação que os partidos recebem. Fiz mentalmente as contas de quanto custava uma sede e suas regionais espalhadas país adentro, os empregados que mantêm, o atendimento da população nos partidos, a organização de manifestações contra medidas insanas sempre propostas pelos parlamentares (naquela época aconteciam manifestações organizadas pelos partidos) e o custo das campanhas dos candidatos majoritários (presidente, governadores, prefeitos e senadores).

Encerrei o assunto, que parecia interessar apenas a mim e outros gatos pingados tão neófitos quanto eu. A maioria ali já havia perdido essa inocência nada gloriosa, e muitos já procuravam meios menos "ortodoxos" de viabilizar suas candidaturas. Alguns organizavam rifas ou almoços para angariar recursos, e reclamavam que acabavam gastando mais do que arrecadavam.

Deitados em berço esplêndido estavam os radialistas, apresentadores de programas de televisão, famosos de modo geral.

Eles levavam uma vantagem incrível, bastava direcionar bem o *marketing*. Aonde chegavam, já encontravam fãs. Ainda assim, como são muitos radialistas, muitos apresentadores e famosos em todas as eleições, o final do pleito era também incerto para eles.

Se amigo nem sempre é fiel quando entra disputa de interesses, fãs são ainda mais volúveis. O normal é que prometem entregar seu voto de admiração para dezenas de candidatos e terminam votando em alguém que nunca viram, mas que atingiu diretamente seu foco de interesse imediato. Ídolos são ídolos, negócios à parte. E, se nas ruas, os famosos atraíam mais atenção, nas urnas o destaque era dado aos que investiram mais na campanha.

Amigos mais experientes me explicaram que presidentes de sindicatos, líderes de instituições organizadas e, sobretudo, candidatos da maçonaria levavam boa vantagem. Eram os chamados candidatos com "representatividade", aqueles que têm um grupo organizado para ajudar a conseguir votos para quem defenderia suas bandeiras e interesses na esfera parlamentar.

Ora, eu podia ter pouca representatividade segmentada, mas me parecia claro que o número dos que querem mudanças na política é maior do que qualquer sindicato ou associação. Foi quando decidi que minha campanha seria feita do único modo que me era acessível, o chamado corpo a corpo. Fiz uma lista de endereços de parentes e amigos, e fui à luta.

DESCOBERTA NÚMERO 5

O voto é quase sempre uma moeda de troca, do mais humilde ao mais abastado eleitor.

Mal comecei as andanças, descobri duas coisas:

> **1.** Se me considero próxima o bastante dos amigos para confiar que me dariam seus votos, eles também se consideram próximos de mim o bastante para pedir favores que não pediriam a estranhos.

> **2.** Eu não tinha a menor coragem de falar sobre candidatura entre aqueles que eram, de certa forma, a razão de ter inventado da minha candidatura. Parecia que eu estava cobrando as cestas, as visitas, o trabalho que fazia antes. E mesmo no grupo que eu frequentava há anos, ninguém ficou sabendo dessa minha "aventura". Me soava estranho dizer: "Pessoal, eu sou da mesma religião de vocês, estivemos juntos no trabalho de campo, e agora peço seu voto". Isso seria impossível pra mim. Naquele ambiente não me parecia certo, era como abuso de privilégio, da intimidade.

O apreço e até admiração que muitos deles tinham por mim era pelo fato de eu ter tido a sorte de poder ajudar. Também receava despertar neles expectativas de mudanças que eu não poderia promover, no ambiente do menos relevante dos cargos eletivos. Talvez nem seja isso, ainda não consigo entender direito, mesmo olhando como coisa do passado. Só sei que, entre eles, não consegui abrir a boca.

Eu já tinha desistido e assumido a posição de mera observadora, quando a campanha esquentou e os candidatos começaram a perambular por lá. O presidente do nosso grupo, um amor de pessoa, chegou a pedir voto para um candidato durante a palestra, por sinal nada recomendável. Aquilo me soou um tanto ultrajante. Agradeci aos céus por ter ficado de bico fechado. Ainda acho meio que uma heresia misturar religião e política, talvez pela abertura de coração e sentimentos expostos que a gente encontra nesses lugares. Seria um abuso da confiança e da fé que os assistidos depositam em nós.

Logo nos primeiros dias, graças às minhas andanças, acabei entrando em contato com o mercado de compra e venda de votos em suas mais variadas formas. E do mesmo modo que vi, vou relatar sem fazer cena, sem receio de despertar melindres em quem adota esses comportamentos. No lugar de se ofender, sugiro que aproveite para analisar se não se deixou levar por algum tipo de compra de votos disfarçada.

TROCA-TROCA

1. CARGOS, FAVORES E PRIVILÉGIOS NO PODER PÚBLICO

Meu grupo familiar e de amigos dariam algumas dezenas de votos. Acreditava que encontraria neles um apoio já garantido. Na minha cabeça, quem conhecia meu histórico de vida, reconheceria logo que eu não estava "entrando para a política" em busca de carreira ou objetivos pessoais. O acolhimento foi extraordinário.

"Temos uns vinte votos só na família, entre genros, noras e as famílias deles ..."

"Bom, muito bom. De vinte em vinte..."

"... e, depois, você ajuda o 'Emervaldo' a conseguir uma vaga na Secretaria da Educação. Ele é professor, você sabe, mas o salário... Se ele for para um cargo na Secretaria de Educação…"

Quase toda família que eu visitava tinha um "Emervaldo" querendo entrar no serviço público. O mais comum é pedido de emprego, mas havia solicitações de transferência de função, mudança de enquadramento na categoria e até revisão de aposentadoria, coisa que vereador não chega nem perto de ter acesso por se tratar de esfera federal. E coisas "singelas" como fazer a calçada, erguer um muro, fazer um puxadinho na casa.

Com a franqueza que me caracteriza — e costuma produzir alguma indignação nos interlocutores —, dizia que não era o tipo de candidata que prometia o que não pretendia cumprir, que meu objetivo na função era lutar para que os mais necessitados tivessem acesso ao mínimo necessário para a sobrevivência. Quase sempre pairava um silêncio constrangedor.

2. PRESTÍGIO

Interessante uma senhora que morava perto de minha mãe. Para a minha surpresa, ela acabou sendo muito honesta. Disse que me viu crescer e me adorava, mas havia muitos anos votava num mesmo candidato. Ela o conhecia? Não. Tinha admiração pelo trabalho dele enquanto político? Não, ela nem sabia o que ele fazia. Mas se encheu de orgulho ao contar que todo ano lembrava do aniversário dela e mandava um cartãozinho pelo correio.

Eu bem sabia que isso era coisa de político que tinha assessores com banco de dados de eleitores. Os cartões são enviados meio que no automático, assinados por assessores, mas para ela era como se o político acordasse pela manhã emocionado por ser o dia do aniversário dela. Considerava uma honra ser lembrada por uma figura importante.

Claro que não seria eu a destruir tão doce ilusão contando como funcionava a coisa. Apenas calculei mentalmente o preço entre impresso, equipe e correio. Uma exorbitância, e parecia funcionar.

Outra coisa que você descobre é que quase toda família tem um candidato a vereador ou deputado, seja primo, tio, tio de primo, e muito eleitor se "compromete" a "ajudar" o conhecido ou amigo que "pediu primeiro" o voto dele.

Outro fato frustrante foi perceber que muitos eleitores não gostam de candidato com campanha chinfrim, preferem abrir a porta e apresentar aos amigos e vizinhos aqueles candidatos que são vistos em grandes carreatas, que fazem presença com fogos de artifício e figuram sorrindo em cartazes. É um jeito de se sentirem prestigiados, se orgulham de receber um candidato "famoso" em suas casas.

3. FESTAS E BEBIDA DE GRAÇA

Decidi que era melhor procurar ambientes mais politizados, e lá fui para as escolas de ensino fundamental e médio, já que a reforma das escolas que estavam caindo aos pedaços eram prioridade, na minha visão.

Saiba que boa parte dos diretores de escolas, antes mesmo de iniciar a campanha já estão comprometidos com o apoio a candidatos à reeleição, mas muitos recebem você, alguns até são bastante amáveis.

Chegava com meu discurso sobre a necessidade de ambiente limpo e digno, instalações adequadas e decentes para quem passa o dia na escola, seja aluno ou professor. Sempre achei impossível uma criança se adaptar a escolas onde muitas vezes faltava água potável ou banheiros com condições mínimas de higiene, e nunca entendi como os prefeitos não faziam disso uma prioridade.

No meu primeiro dia ganhei dois "apoios". Uma diretora disse que sempre ajudava os alunos formandos do ensino fundamental e do ensino médio a conseguir candidatos que bancassem a formatura deles.

"Não sabe o quanto eles sonham com uma festa de formatura", suspirava.

A coisa funcionava assim:

1. Ela organizava a reunião com os formandos.
2. O candidato anotava o número do CPF, título de eleitor e zona eleitoral de cada aluno.
3. Após a eleição, o candidato fazia a conferência nas zonas eleitorais para checar se teve mesmo o número de votos que constavam nos locais em que os alunos votavam. É possível conferir pelo boletim do resultado eleitoral os votos em cada sessão.
4. Se o número mínimo de votos conferisse com os dos alunos, a festa estava garantida.

Fiquei horrorizada ao ver a naturalidade com a qual a diretora me explicou o arranjo. Ao chegar em casa, recebi pelo telefone o segundo apoio, que veio de uma aluna, organizadora das atividades esportivas da escola. O preço era bem menor, bastava os uniformes dos times de vôlei e futebol, e ela garantia os votos no mesmo sistema de anotação dos títulos e zonas eleitorais. Percebi que aquilo era novidade só para mim, nas escolas, a prática é corriqueira.

A menina deu azar de ligar no fim do dia, eu estava exausta daquilo. Acabei descarregando sobre ela todo o discurso sobre corrupção e venda de votos que estava atravessado na minha garganta. Cheguei a dizer que era uma decepção ver uma pessoa tão jovem já tão adaptada a esse tipo de negociação, no mínimo vergonhosa. De vez em quando relembro o fato e penso que talvez tenha sido muito dura, mas vendo o Brasil de hoje, percebo que ela merecia ouvir muito mais.

Também achei interessante um colega, candidato à reeleição, que se considerava e tinha mesmo fama de ser muito ético. A base eleitoral dele eram os universitários. Todas as sextas-feiras organizava uma "boca livre" com *open bar*, os universitários podiam comer e beber à vontade, festinha em que pulava de mesa em mesa para se apresentar. Fui algumas vezes para ver como funcionava.

Em primeiro lugar, cada festa — ele chamava de encontro político — consumia tubos de dinheiro principalmente em cerveja. Segundo: após o terceiro ou quarto copo, o universitário não sabia nem onde estava. Mas o candidato aproveitava para, entre um e outro gole, fazer o gênero descolado, colega, acessível, "amigão" da turma.

Funcionava. Mas era uma grana. Junto com os comes e bebes ia ali um santinho — impressos constando a plataforma do candidato, que patrocinava muitas festas, organizadas por ele ao mesmo tempo, sempre perto das universidade, em espaços alugados. Grêmios estudantis também eram contemplados pelo candidato da cerveja estupidamente gelada.

Enfim, a estratégia matava dois coelhos com uma só cajadada: o universitário saía de lá se sentindo politizado, porque falaram cinco minutos sobre política, e o candidato garantia votos posando de vanguardista, progressista. "Reunião política?" Pura balela.

4. PRIVILÉGIO NO ACESSO AOS SERVIÇOS PÚBLICOS

Nos dias seguintes, recebi ligação do líder da comunidade do meu bairro, coisa que nem sabia existir em bairros mais nobres. Ele me apoiaria sem pedir nada para fins pessoais, o que me pareceu promissor. Talvez fosse meu patamar de exigência discrepante com a realidade que me fez ver a coisa de modo diferente. Leia e tire suas conclusões.

Minha casa ficava em um dos bons bairros da cidade. Em teoria, aquele líder comunitário queria somente que eu ajudasse a levar creches e serviços públicos para lá depois de eleita, e me apoiaria promovendo reuniões com moradores, pedindo votos na vizinhança.

Muitos líderes de bairro são atuantes de verdade, principalmente os da periferia. Mas, na prática, uma liderança de bairro já é um degrau numa escala de carreira política. Quanto mais obras e serviços o líder de bairro consegue obter graças à proximidade com o vereador, mais visibilidade e respaldo ele passa a ter entre os moradores. A maioria deles tenta uma candidatura no pleito seguinte.

Era justo, porém não o bastante para a visão que eu tinha e ainda tenho sobre o que é efetivamente justo. Explico:

— Meu senhor... — disse eu — pense comigo. Nosso bairro está entre os melhores da cidade. Temos asfalto, iluminação, água e esgoto, praças floridas e bem cuidadas, sinalização... E nossos moradores não dependem de escolas nem creches públicas. O senhor conhece a zona norte da cidade, ali no limite da rodovia onde ficam as invasões?

— Sim, passo por lá algumas vezes, quando vou para a chácara da minha família.

— Pois bem. O senhor viu no meio daqueles casebres miseráveis algum posto de saúde, alguma creche para facilitar a vida das mães que precisam trabalhar para garantir o sustento dos filhos?

Ele ficou desconcertado.

— Mas, se formos pensar nas necessidades da cidade toda, ninguém vai se lembrar do nosso bairro tão cedo.

E eu continuei, sem rodeios:

— Ou será que se lembram demais do nosso bairro, enquanto os bairros pobres nunca encontram quem queira se lembrar deles?

A conversa morreu aí.

Sou radical? Você decide.

5. DINHEIRO VIVO OU BENEFÍCIOS SIMILARES

No grosso da periferia, os lugares onde as famílias viviam debaixo de lonas ou entre paredes de latas, não havia qualquer possibilidade de diálogo. O voto era na base do quem paga mais. Em dinheiro vivo, claro, cestas básicas e promessas de doação de casas. Se alguém que me lê agora ousa criticar, ainda que em pensamento, essas pessoas, sugiro que experimente viver por apenas um ano nas condições de vida perenes para elas.

Esperança em política mais justa e decente é um luxo, que quem depende de um remédio ou um pedaço de pão não alcança. A maioria entrega o voto como um papel usado, uma garrafa *pet* que, prestes de descartar, alguém surge oferecendo uns trocados por ela. Melhor pegar o certo do que esperar pelo duvidoso. Atire a primeira pedra somente quem sentiu na própria pele o bafo mortal e doloroso de quem se viu numa situação de absoluta privação material.

Eu me sentia envergonhada em falar sobre política entre miseráveis, e eles preferiam muito mais uma promessa que suspeitavam que não seria cumprida do que um discurso ideológico. Era simplesmente indecente e ofensivo tentar plantar expectativas que minha esfera de atuação, se eleita, não abarcaria, senão em migalhas. Frações ínfimas de resultados e benefícios diante de tantos necessitados. Essa era a realidade nas zonas urbanas até pouco mais de uma década atrás, quando a fome ainda atingia um percentual assustador da população.

Meus escrúpulos eram uma exceção. Muitos candidatos cadastram previamente os moradores para que se acreditem inseridos numa lista de quem vai receber casa própria e lotes. De ilusão também se vive, ainda que a vida continue sendo, na prática, a mesma dura e fria realidade. O normal, mesmo, é candidato que vai, dá uns trocados pelo voto, promete emprego, casa e... sonho.

O chamado *modus operandi* é o mesmo. Anotam o número do CPF, nome completo, título de eleitor, zona e seção eleitoral, e avisam que vão conferir depois da eleição.

Os resultados de cada zona e seção trazem o número de votos que cada candidato recebeu. Quem vende o voto confirma o voto na urna por medo de não aparecer nenhum voto no candidato por lá, o que provaria sua traição. Os auxiliares desses candidatos normalmente são da comunidade e promovem uma espécie de terrorismo. Então é normal que bata o medo de faltar com a palavra e votar em outro candidato.

6. COMBUSTÍVEL DE GRAÇA PARA QUEM ADESIVA O CARRO OU VAI NAS CARREATAS

"Ah, isso todo mundo faz", você deve ter pensado. Falam com a naturalidade de quem diz que gosta de pudim: "Aqui tem três carros. Toda eleição a gente ganha a gasolina para colocar adesivo e participar das carreatas do fulano de tal, mas é lógico que vamos te dar a preferência". Tão inocente. Só que não.

Quem pode ter um carro também pode bancar o combustível para manifestar um apoio legítimo a um candidato. O que fazem é bombar alguns deles em troca do tanque para rodar a semana. O candidato que não pode bancar fica em nítida desvantagem. E o preço de uma carreata é muito alto.

Vamos às contas:

Um veículo da marca Gol custa, em média, R$180,00 para encher o tanque. Se o candidato colocar dois mil carros nas ruas, ainda que divididos em diversas carreatas ao longo da campanha, irá gastar 360 mil reais só com isso. Estou fazenda a conta por baixo, como bem sabe a galera mais jovem, que corre para abastecer no posto indicado pela campanha. Afinal, que mal tem colocar um adesivo do candidato no carro para garantir a gasolina da semana?

Agora some o valor que o candidato gasta para os adesivos, Você chega fácil a 500 mil só com carreatas. Repito: calculando por baixo. E, sim, muita gente se mantém fiel ao candidato que bancou sua gasolina durante três meses.

Se é possível entender um miserável que troca o voto por uma cesta básica ou um remédio, a lógica da necessidade não funciona para quem tem carro. Óbvio que você pode aproveitar o período de campanha para economizar no combustível, mas seria mais decente se não falasse nunca mais em política nem fizesse discursos de indignação, porque, no fundo, se lixa para a moralização da política. Ou, no mínimo, deveria dizer "Todos são corruptos, inclusive eu", seguido de um "Quero que todos sejam presos, independente do partido, inclusive eu".

Isto é corrupção da grossa, e a obrigação de quem fica sabendo é ligar para o Ministério Público e denunciar. Eles vão no posto de gasolina que o candidato indica na mesma hora, botam um fim na farra.

Se quer participar da carreata, a gasolina não custa um ingresso no cinema. Portanto, sem hipocrisia, por favor. Não critique aquilo que alimenta.

7. CONTRATAÇÃO DE CABOS ELEITORAIS

Funciona assim:

O candidato contrata cabos eleitorais para distribuir *folders*, folhetos ou santinhos nos sinaleiros. Sem contar com aquela função abominável de segurar bandeirões nas esquinas debaixo de um sol escaldante. Já aviso de antemão que, na minha visão, é um trabalho aviltante. Morro de pena de ver aquelas pobres moças ou rapazes fazendo o trabalho que proibiram até para os postes de rua.

Tem mais. Quando contratam o cabo eleitoral, fazem junto a promessa de emprego caso o candidato seja eleito. Sim, prometem para todos.

Acontece que cada cabo eleitoral tem uma família composta em média por cinco pessoas. Como a família vai tentar garantir o emprego do seu integrante, o candidato paga por um voto e leva cinco.

Nas campanhas de governadores e deputados federais, candidatos com muito dinheiro, muitas vezes nem investem nas campanhas nas cidades menores, simplesmente contratam um bom número de cabos eleitorais e prometem emprego. Como anotam número de título de eleitor, local de votação e seção, garantem um bom número de votos. Mas, para contratar a mixaria de mil cabos eleitorais num valor médio de 1 mil reais por mês durante três meses... Faça as contas só quando estiver sentado.

8. PROMESSA DE AUMENTOS SALARIAIS OU BENEFÍCIOS PARA CATEGORIAS

Não são poucos os prefeitos e governadores que atravessam o mandato sem reajustar salários, mas, quando estão prestes a sair, concedem aumento parcelado em duas ou três datas, a primeira antes e as outras depois da eleição. Para garantir o benefício, professores, policiais, servidores públicos acabam votando neles.

Lamento, professor, seu voto foi vendido. E por mais que seu discurso seja de indignação contra os maus políticos, não foi exatamente por mais ética na política, pelo avanço social ou capacidade administrativa do gestor que sua escolha foi feita.

Posso ter esquecido algumas formas de compra de votos. Afinal, não falta criatividade a nossos políticos. Mas, se partir do raciocínio de que, se há vantagem pessoal, é venda de voto, você saberá identificar as modalidades que encontrará por aí.

> DESAFIOS DO CORPO A CORPO

> **De repente, você prepara todo um discurso**, uma plataforma política, mas quase ninguém quer ouvir. O interlocutor é uma matraca. Falam quase todos as mesmas coisas, que estão cansados dos velhos coronéis e caciques da política, fartos das roubalheiras, que é preciso acabar com a corrupção, mudar a política e blá-blá-blá. Pode apostar: você vai sentir saudades dos tempos em que só via 200 milhões de técnicos

da seleção brasileira na época da Copa. Quando vai conversar com eleitores, todos querem apontar soluções para tudo, a maioria delas tão simples, como se ninguém nunca tivesse pensado nelas.

E você ali, esperando uma brecha para falar do seu programa de ações, aquele que atravessou madrugadas para elaborar. Se perceber que está diante de um eleitor que quer falar, ouça. E preste atenção. Desista de apresentar suas ideias a quem não quer ouvir, e muitos eleitores precisam mesmo desabafar.

Poucos irão ouvir e se interessar pelo que você tem a dizer, mas esses poucos que escutam formam a parcela mais politizada da população, e é justamente por isso que candidato que não vai apenas comprar voto precisa ter um projeto bem delineado. Se você não tiver consistência, informação e embasamento para falar de assuntos regionais e nacionais da política, esse eleitor vai perceber, e pode te colocar contra a parede. Muitos adoram sentir que te botaram no chinelo.

❯ **Fazer promessas que não pretende ou não poderá cumprir** não garante a eleição de ninguém. Quase todos os candidatos fazem, entretanto não é o que vai definir o voto. Porém, depois que comecei a atuar na área de *marketing*, minha percepção ficou mais aguçada. Notei que o perfil do eleitor que pede esses favores é o mesmo daqueles que não acreditam em promessas, mas se sentem afrontados se você cortar o fio da esperança. Por isso, os políticos profissionais nunca dizem "não". É meio que uma questão de cortesia responder que não pode garantir, mas fará o que estiver ao seu alcance. Se a princípio eu considerava essa postura como coisa de candidato enganador, depois entendi que pode ser também uma forma de evitar constrangimento para quem pede os favores.

Vai aí um conselho (conselho e santinho não faltam em campanha): se você estiver realmente determinado a usar a franqueza, só deixe isto claro quando já tiver atravessado o portão para fora da casa. Se você disser logo de cara, sua presença passa a gerar certa impaciência ou incômodo. Vai por mim, só fale quando estiver encerrando a visita.

❯ **Quando um eleitor disser que já tem candidato**, não mostre frustração ou desinteresse. Muitos trocam de candidato ao longo da campanha.

Lembre-se de que você nunca deve encerrar a visita. Quem encerra é o assessor, que lembra de outro compromisso. Bons marqueteiros orientam os candidatos a definir códigos, palavras que usarão para sinalizar se você quer ou não mais alguns minutos de tempo. O ideal é que o assessor chame duas vezes, para não parecer que você estava com pressa de ir embora.

❯ **O candidato tem de saber que festa de campanha** não é bem uma festa, ele está trabalhando. Aqueles que bebem e se divertem com o grupo podem até obter um ou outro voto de quem estava com ele na mesa. Provavelmente passarão o resto da vida contando que foi íntimo daquele político, e inclusive, já tomou muita cerveja com ele em mesa de bar.

Embora essa ilusão de intimidade renda os votos de uns dois que estiveram com você, os que assistiram à cena notarão a inconveniência da situação. Candidato bem orientado e que tenha como alvo a turma festeira, finge que bebe, mas não bebe. Apenas disfarça, bebericando. Um candidato alcoolizado em campanha perde a credibilidade.

**DESCOBERTA
NÚMERO 6**

Não existe sindicato dos miseráveis, nem dos desempregados, nem das empresas falidas.

As campanhas mais promissoras são daqueles que possuem representatividade em seus setores profissionais, como presidentes de sindicatos, por exemplo. Reúnem um vasto número de pessoas, todos eles eleitores e normalmente puxadores de votos em suas famílias.

Óbvio que os sindicatos são o oxigênio da democracia, e, ao contrário do que muitos pensam, existem em todos os países desenvolvidos. Quanto melhor a qualidade de vida no país, mais fortes são os sindicatos. Pode pesquisar. França, Alemanha, Noruega, Canadá... Todos com fortíssima organização sindical. A diferença é que quanto mais politizado o povo, mais ele entende que a política global o afeta mais diretamente que medidas focadas no seu núcleo restrito. No Brasil, esse pensamento é raro, até porque, por conta da distribuição injusta das riquezas, cada um quer resguardar ao menos a dignidade em sua profissão.

A ideia da aglutinação em torno da eleição de um líder sindical ao qual o eleitor é filiado está longe de ser o problema. O objetivo é que todas as categorias tenham, nas mais variadas profissões, seus representantes eleitos para defender o quinhão dos trabalhadores que o sindicato reúne.

Um representante dos professores, na Câmara ou Assembleia, pode evitar que os salários dos servidores municipais da educação fiquem defasados, ou melhorar os salários, pode batalhar por uma carga horária justa, garantir condições de trabalho, e por aí vai.

O mesmo ocorre em relação aos sindicatos dos servidores públicos municipais, movimentos de pequenos produtores, microempresas. Todas as categorias precisam de alguém para buscar melhorias e garantir direitos na esfera pública.

Como todo remédio é veneno, dependendo da dose, tem o outro lado da questão: em países onde a eleição passa por um sistema injusto e quem tem mais dinheiro se elege, esse sistema torna-se uma das vias da perpetuação das diferenças e injustiças.

Explico melhor: por mais que eu considerasse válido que grupos se reunissem para eleger candidatos que defendessem as suas causas, não me cabia na cabeça — e não cabe ainda hoje — que seja justo ver as categorias mais bem representadas acumulando benefícios para os seus representados, independente do cenário global.

Não existe sindicato dos miseráveis, não existe sindicato dos famintos, não existe sindicato dos sem creches, dos sem escolas, dos sem hospitais públicos, dos desempregados ou das empresas falidas. E, ainda que existissem, sem dinheiro dos filiados para contribuir, não teriam força nem recursos dentro desse sistema para eleger seus representantes.

Assim, no momento em que você mais precisa do governo, não encontra ninguém na esfera pública que o represente. Muitas empresas acabam fechando por falta de um mínimo de capital para colocar a casa em ordem, para tomar um fôlego. Mas, quem tem problemas não tem crédito. Fechada a empresa, aumenta o número de desempregados, dos miseráveis, a roda gira empurrando um batalhão para o fundo do poço. Esses são os sem representatividade.

Mesmo assim, o número de presidentes ou integrantes de sindicatos eleitos perde feio para o número de milionários, parentes de políticos tradicionais ou famosos por coisa alguma. Há muito trabalhador que deixa de votar nos seus congêneres para entregar o voto, até por simples admiração, a um candidato simpático (com jeito de rico) que aperta sua mão durante uma caminhada. Coisas da vida.

Outro fator importante: note que a proximidade com o prefeito ou governador em ascensão nas pesquisas não é alardeada sem razão pelos candidatos. Afinal, eles querem mostrar às suas bases eleitorais que têm poder de obter mais benefícios para os seus.

Num sistema tripartite como o do Brasil, o presidente depende do Congresso para liberar cada ação, investimento, despesa. Assim como o governador depende dos deputados estaduais, e o prefeito, dos vereadores.

Resumindo: o poder Executivo está nas mãos e na dependência absoluta do Legislativo. Mais: quase ninguém do Legislativo considera imoral negociar o seu apoio a atos do Executivo em troca de benefícios para o grupo que o elegeu. Até porque, se ele não obtiver benefícios para suas categorias, não será reeleito.

Por isso é tão difícil compreender a lógica da perpetuação da miséria, do atraso e do subdesenvolvimento, se não entendermos como funciona a eleição e a relação entre os Três Poderes. Ai do prefeito, do governador ou do presidente da República que não atender "aos anseios" dos vereadores, deputados ou senadores, mesmo que muitas vezes tais anseios não sejam nada dignos. O Legislativo cassa o mandato de um chefe do poder Executivo, seja ele prefeito, governador ou presidente, mas o presidente não tem o poder de afastar ninguém do Legislativo nem do Judiciário.

Escolher pode. Os ministros do Supremo Federal, por exemplo. Ou o procurador-geral da República.

Assim, de maneira geral, o cidadão acha perfeitamente normal que os ricos estejam no topo do poder político, mais ricos se elegendo, muitos representantes das classes privilegiadas, incluindo aí profissionais da classe média, como bancários, funcionários federais, médicos, ou mesmo os grandes agricultores, representantes de empresas e segmentos poderosos.

Você ainda estranha que no Brasil, no seu estado ou na sua cidade predominem no poder público os mais ricos, enquanto a arrasadora maioria da população seja pobre? Tomara que não.

DESCOBERTA NÚMERO 7

Basta virar candidato para ser chamado de ladrão.

Agora que viu um pouco mais sobre como funcionam as campanhas, vai entender como me coloquei à margem do jogo.

Eu não era uma líder de categoria ou de sindicato para me eleger em nome de setores organizados, e confesso que nem queria ser — não levo o menor jeito para falar de política setorizada. Mas como deu pra notar, campanhas sem esse tipo de vínculo, pulverizadas, ou custam verdadeiras fortunas ou resultam num fracasso mais previsível do que a ocorrência de chuva no inverno.

Foi numa noite, lá pelo vigésimo dia após o início da campanha, que fiquei sabendo. Rolava uma conversa entre conhecidos de que minha campanha estava fadada ao fracasso, porque, segundo diziam, eu queria "entrar para a política" para enriquecer sozinha, já que não garantia nenhum tipo de retorno para quem se dispusesse a me ajudar. Alguém me explica como um cargo de vereador ou deputado pode enriquecer uma pessoa? Servidor

Míriam Moraes

público pode ter uma vida de classe média, mas ninguém ficaria rico com um salário mensal, mesmo em cargos eletivos. Dizer que você pretende enriquecer no serviço público é dizer que você pretende se corromper.

Aquilo foi demais para os meus brios. Até então, sabia que muitos me chamavam de esnobe, de metida depois de ficar "rica", essas bobagens. Mas diziam respeitar minha trajetória, minha prática empresarial no trato com parceiros e funcionários, já que eu procurava ser mais do que justa, pagava salários acima do mercado, distribuía lucros. Até aí, tudo bem. No entanto, a simples candidatura a um cargo público eletivo parecia dar a muita gente o direito de reduzir o meu conceito à condição de corrupta, sem nenhuma razão, sem qualquer motivo, como se todos aqueles que falavam sempre na necessidade de sangue novo para substituir os sanguessugas na política tivessem esquecido seus discursos. Eram meras palavras da boca pra fora, pois basta alguém ultrapassar o limite entre o cidadão e o candidato para ser tratado como bandido. Praticavam o jogo do tratamento amistoso na minha frente e me esfaqueavam com todo tipo de calúnias tão logo eu virava as costas.

Como seria então, após a eleição, na improvável e remotíssima hipótese de eu ser eleita? O que os meus filhos ouviriam sobre a mãe deles na escola? O que muitos sussurrariam na surdina a meu respeito nas festas de amigos, casamentos, aniversários? Eu estava preparada para perder dinheiro reduzindo drasticamente o tempo de trabalho em minha empresa a fim de cumprir a agenda parlamentar, estava disposta a reduzir o tempo de convívio com minha família, com meus filhos, por uma boa causa, mas não estava disposta a renunciar à dignidade e o respeito que levei uma vida para conquistar.

Foi assim que desisti da campanha, bem no começo, coisa de três semanas depois que foi dada a largada, como antecipei no início desse relato. E ainda hoje me sinto horrorizada ao ver como as pessoas não se constrangem em chamar esse ou aquele político de ladrão, sem averiguar o que pesa sobre eles, guiando-se apenas pela imprensa, assunto sobre o qual trataremos no capítulo a seguir.

Mas, concluindo: entre desistir de uma candidatura e cruzar os braços, e esquecer os meninos acocorados na beira da trempe, havia uma grande distância. Aquela imagem tinha se tornado uma espécie de carimbo na minha mente, simplesmente não conseguia esquecer nem me conformar como algo assim podia ser encarado com tanta naturalidade. E só voltei a me sentir em paz depois que decidi não prosseguir na esfera política, mas também não recuar para o estado de inércia política.

Percebi que era o momento de dizer o quanto a visão e prática dos eleitores estavam erradas, para despertar nas pessoas algum sentimento de coletividade, de compaixão, para falar sobre os invisíveis, sobre a relação entre o "voto consciente" e as mudanças que precisavam ser feitas. Como a ideia de trazer um substituto para tomar conta da empresa morreu junto com a possibilidade de entrar em campo com uma campanha de peso, decidi que faria isso conciliando com o meu trabalho.

Eu já me sentia inteiramente esgotada, sem nenhuma paciência para aquelas conversas sem futuro com gente que, em sua maioria, estava na etapa da barbárie em termos de conhecimento da importância da política. Então decidi que investiria meu tempo buscando o diálogo entre professores e alunos de universidades onde havia mais chances de desenvolver um raciocínio político com um mínimo de nexo. E também atuar entre os colegas candidatos para que os futuros eleitos assumissem seus mandatos com um mínimo de consciência quanto à existência de um mundo paralelo que ninguém parecia enxergar. Reunia a maioria de eleitores, gente que não teria representantes para defender coisas "prosaicas" como o pão na mesa, um arroz com feijão no almoço, uma infinidade de eleitores que não teriam ninguém para falar por eles. Foi como nasceu meu *slogan*, de fato e assumidamente direcionado para as classes privilegiadas:

"Não vamos nos perder em nosso mundo colorido. Ainda tem muita gente vivendo em preto e branco".

Para ilustrar, reproduzi a cena dos dois meninos na beira da trempe com a panela de água fervendo à espera de alguma comida.

NÃO VAMOS NOS PERDER EM NOSSO MUNDO COLORIDO...

Nossos filhos estão abrigados das chuvas e do frio.
Milhares de outras crianças vivem debaixo de lonas ou nas ruas.
Nossos filhos recebem alimentação adequada ao seu desenvolvimento e saúde.
Milhares de outras crianças sofrem os efeitos da fome e da desnutrição.
Quando identificamos qualquer sintoma de dores ou doenças, levamos nossos filhos ao pediatra.
Milhares de outras crianças choram dias seguidos de dores sem que recebam assistência médica ou o lenitivo da medicação.
Milhares de outras crianças choram nas creches até que suas lágrimas sequem sem o conforto de um colo ou um abraço.
Milhares de outras crianças são espancadas por aqueles de quem esperam carinho e amparo.

AINDA TEM MUITA GENTE VIVENDO EM PRETO E BRANCO

Uma grande parcela de nossa população, pessoas vinculadas ou não a igrejas ou Instituições, doa cestas de alimentos, materiais de construção, tempo, trabalho e amor no serviço voluntário. E são estas iniciativas que estão salvando milhares de crianças e adultos da fome, da miséria e do abandono.
Este tipo de iniciativa é vital para qualquer sociedade.
Mas o governo não pode se eximir da sua responsabilidade.
Grande parte dos recursos destinados à área social são desviados, aplicados em projetos eleitoreiros, ou se perdem na burocracia de uma máquina administrativa ineficiente.
A Prefeitura tem a obrigação de apoiar e viabilizar a iniciativa da sociedade.
As escolas de tempo integral precisam urgentemente substituir as creches e orfanatos.
Diversos cursos profissionalizantes poderiam ser facilmente implantados com os recursos públicos, aliado ao trabalho voluntário.

Fiz mais dois impressos, um para universitários, e outro para tratar a questão da segurança, em que mostrava que quanto menor a desigualdade social, menores eram os índices de violência. Pode conferir também. Basta checar pela internet os índices dos países que adotam rede de proteção contra a pobreza, como Noruega, Suécia, França, Canadá.

Isso foi tudo. Paguei do meu bolso os impressos e comecei a perambular distribuindo-os onde podia. Num jantar que a coligação ofereceu para todos os candidatos, caprichei. Fiz um conjunto dos impressos para cada candidato, deputados e o prefeito da nossa chapa. Minhas aspirações e visão do que era prioritário chegou até eles.

Sem perceber, acabava de debutar naquilo que seria a minha campanha de uma vida, a campanha pela formação política da qual não desisti até agora, mesmo depois de testemunhar detalhes inconcebíveis sobre campanhas eleitorais, de entender como funciona o famigerado caixa dois, de ver verdadeiros horrores e consequências do sistema eleitoral e como tudo isso deságua após a posse dos eleitos.

DESCOBERTA NÚMERO 8

Campanha é um circo em que boa parte dos eleitores e candidatos disputa o troféu de mais patético.

Eleição é mesmo um circo de horrores. O eleitor sabe disso, mas só o percebe em sua plenitude quando está no picadeiro.

Dentro da campanha, ao lado de outros candidatos, pude presenciar as orientações dos marqueteiros e dos políticos mais experientes para os novatos, e ver de perto como as técnicas se reproduziam nas ruas. A culpa de eleição ser circo não é nem do eleitor nem do candidato, a culpa é da imprensa.

Quem pode apontar o ridículo da vida, instruir politicamente a população, são os jornais, rádios e TVs, os comunicadores, mas preferem usar as insanidades e a ignorância popular para atacar seus rivais e promover seus aliados com enganações primárias. Todos os que integram grupos econômicos com lado definido têm candidato. No capítulo da imprensa eu descrevo direitinho como fazem para esconder isto.

Não é errado ter lado, mas é perverso esconder que tem. Escondem para manipular o eleitor fingindo isenção, enquanto, nas entrelinhas, manipulam aqueles que deveriam — como é o papel da imprensa — informar, inserir os parâmetros de referência e ensinar a pensar.

As dicas abaixo são para eventuais candidatos. Ajudam a entender esse jogo de dissimulações, falsidades e mentiras trocadas que se perpetua há séculos no nosso teatro eleitoral.

› NINGUÉM TEM UMA SEGUNDA CHANCE DE CAUSAR UMA PRIMEIRA BOA IMPRESSÃO.

1. Aperto de mão não garante voto. Mas ai do candidato que não aperta mão estendida.

Uma candidata a presidente era muito ágil, prática, tinha experiência em serviços administrativos. Então, na fase do treinamento, os marqueteiros a levaram para um bairro, mostraram-lhe um trecho que deveria percorrer em quarenta e cinco minutos. Tudo é calculado e com um objetivo.

Parecia um exagero. Querem alguém ágil e com capacidade de trabalho depois de eleito, mas lerdo o bastante para levar quarenta e cinco minutos num trecho que daria para fazer em cinco minutos em passo normal.

A candidata se esforçou, testemunhei. Maneirou o passo o quanto pôde, saiu apertando mãos, sorrindo para crianças, aquela coisa toda que a gente está cansado de ver nos programas políticos pela televisão. Mesmo com todo o esforço, no entanto, chegou ao fim do percurso em quinze minutos.

Não faz mal? Faz, sim. Vendo a gravação no estúdio, notei a cara contrafeita de quem ela cumprimentava. Centenas de mãos se estendiam, mas o rosto sorridente de quem não era contemplado com um toque, retribuição do sorriso ou olhar se transformava instantaneamente num xingamento ou expressão de ressentimento. Cada mão não tocada tinha uns 70% de chance de ser um voto perdido.

O tempo que lhe deram como meta foi planejado milimetricamente para fazê-la tocar o maior número possível de mãos, corresponder aos olhares, trocar sorrisos.

Já os candidatos "chinfrins", que seguem o cortejo, já enfrentam o problema oposto. Estendem a mão para um monte de gente que sequer olha para eles. Por que apertar a mão de desconhecidos? Bom mesmo é o toque de celebridade.

2. Prepare-se para o festival do café.

Gastrite? Má digestão? Intolerância a café. Nem arrede o pé. Cada café recusado pode ser o apoio de uma família inteira perdido.

A liderança do bairro faz uma lista de endereços de moradores que aceitam recebê-lo. Em quase todas as casas vão lhe oferecer um cafezinho. Se você for a cinquenta casas, cinquenta cafezinhos. Você tem que "adorar" todos, não importa a quantidade de açúcar e pó. Se alegar que sofre de diabetes, pior. Vão considerar você doentinho. Se disser que não gosta de café, elitista. Se pedir pra trocar por um copo de água, blasé, sem fibra, tutano. Acabou de tomar café na casa de outro? Ah, privilegiou o vizinho e fez desfeita a ele.

Portanto, nem pense em alternativas. Outros já tentaram sem o menor sucesso. Feche os olhos, tome logo o café. Elogie como se fosse o único, tão bom quanto o da sua falecida avó. Pronto. Ganhou o voto da dona da casa.

Não sei se é lenda urbana. Todo mundo fala como se tivesse acontecido com ele ou com um amigo dele. Não descarto a possibilidade de já ter acontecido com todos. Contam que o candidato aceitou o trigésimo café do dia e se esforçava para tomar, quando a dona da casa saiu da sala para pegar algo ou chamar alguém. Assim que ela deu as costas, ele teve a genial ideia de correr para a janela e jogar fora o café. A xícara era daquelas em que a louça se encaixa numa base metálica descolada, detalhe que ele não tinha notado, e, ao virar a xícara, a louça se desgarrou e espatifou-se em mil pedaços na calçada. Seu crime foi revelado. Ganhou o eterno desprezo da moradora. Se isso aconteceu de fato, pode apostar que até hoje o candidato perde os votos dos netos daquela mulher.

3. Não adianta ser o candidato mais preparado e não pedir o voto.

Todo candidato — mesmo os que concorrem à Presidência da República — tem aquele momento em que olha para a câmera esmolando o voto como se fosse um favor pessoal:

"Eu peço o seu voto."

Na minha fase Alice, pedir o voto soava estranho. O lógico, para mim, seria que todos apresentassem suas ideias e o eleitor escolheria o candidato que contemplasse uma visão semelhante à sua.

Uma amiga, que colecionava vitórias em eleições, na política, deu-me um conselho:

"Nunca se esqueça de pedir o voto. Entenda bem: não é para pedir apoio. Tem que pedir o voto. Se não pedir, vão dizer que você foi esnobe".

Achei um tanto idiota. O que, afinal, eu estaria fazendo ali? Muito bem. Marquei encontro com velhos conhecidos. Nada a ver com a campanha.

Passei agradável tarde lá, apartada da canseira da campanha. Depois que fui embora, já no começo da noite, meu amigo telefonou. A mãe dele ficou chateadíssima, magoada mesmo, porque sabia que eu era candidata e sequer tinha pedido o voto dela. Concluiu que, como amiga, eu era gente boa, mas como candidata, era esnobe.

4. **Preste atenção nos conselhos e dê a impressão de que está ouvindo a última maravilha do século.**

Não existe o simples eleitor. Todo mundo que você vai encontrar em suas andanças é autoridade suprema em *marketing* e governança. Todos vão lhe dizer como tocar a campanha e o que tem de ser feito durante o seu mandato. Vai ouvir centenas de vezes a mesma receita de bolo de farinha de trigo e açúcar, de bolo de padaria, mas a pessoa tem a mais absoluta certeza de que está sendo genial e inovadora. E você tem que prometer que vai fazer exatamente assim, que seguirá atentamente suas instruções. Se tentar mostrar que alguma coisa é impossível ou impraticável, perde o voto. Portanto, se alguém te sugerir dar um orangotango de verdade como *souvenir* para cada eleitor, diga que você vai acordar no dia seguinte e partir direto para uma floresta africana em busca dos 15 mil orangotangos que precisa para ganhar os 15 mil votos necessários para se eleger.

5. Coma pastel de feira à vontade.

O teste do pastel de feira é uma tradição. Candidato bom é candidato que adora pastel de feira.

Concordo. Nesse ponto, sou a melhor das candidatas: amo pastel de feira. Mas pelamordetodosossantos, o que isso tem a ver com política? Rigorosamente nada. Mas, em campanha, como na música de Tim Maia, o nada é tudo. Principalmente nas campanhas para os cargos mais altos, mal o candidato se aproxima da banca de pastel na feira, as câmeras são ligadas e os *flashes* pipocam na urgência de registrar a cena.

OK. Também desconfio de gente que não gosta de pastel de feira, mas acho uma grande sacanagem os jornais, TVs e comunicadores não terem mostrado até hoje aos eleitores que fritura não é a coisa mais saudável do mundo, e que, se o sujeito gosta ou não gosta de pastel de feira, isto não faz dele um candidato melhor ou pior. Mas note como todos os veículos usam a foto do candidato abocanhando o pastel de feira com gosto, se for do seu grupo de apoio, ou com desgosto, se for do grupo adversário.

6. Nunca esqueça — nem por um segundo — que o voto é das crianças.

Embora crianças sejam mesmo lindas, cada uma a seu modo, ainda que todo pai ou mãe possa ter o filho como sua melhor obra, seu grande tesouro, o ressentimento de quem exibe de modo secreto seu pimpolho para um afago e não recebe os elogios que espera, o candidato é candidato a cortejar um cano. Se você está na guerra pelo voto e tiver que escolher entre apertar a mão da mãe ou passar a mão na cabeça do filho, vá sem medo na cabeça da criança. Acho que não preciso me alongar a respeito.

7. De uma vez por todas: o eleitor mente para todos os candidatos.

Só saquei mesmo quando já estava em outra, na redação do jornal, anos mais tarde. Um dia me visitou um amigo querido, candidato a prefeito por um pequeno partido que, no primeiro turno, enfrentava velhos coronéis tradicionais da política, legítimos representantes do qual o povo se dizia cansado. Ele foi ali me fazer um pedido.

"Míriam, tem algo muito estranho acontecendo. As pesquisas me colocam com 3,65% de intenção de votos. É impossível. Por onde passo me procuram pra dizer que não aguentam mais esses mesmos corruptos, querem mudança, odeiam esses coronéis da política, que posso contar com o voto delas. E nas pesquisas eu estou basicamente com os mesmos 3,5% que eu tinha quando entrei. Não dá para confiar nestas pesquisas que circulam por aí."

Pedia que o meu jornal encomendasse uma pesquisa própria e sob a minha coordenação, porque confiava em mim. Como não tínhamos feito nenhuma pesquisa até ali, gostei da ideia e coloquei a mão na massa.

Mal chegou o resultado, pensei em mil formas de contar a ele, mas na hora esqueci tudo que eu tinha planejado e disse com franqueza: "O povo merece mesmo esses coronéis, amigo". A pesquisa deu exatos 3,63% de intenção de votos para ele, os mesmos 3,63% que obteve na apuração dos votos ao final da eleição.

Num ponto ele estava certo: os números em relação aos "grandes" candidatos apresentavam distorções gritantes, sobretudo nos segundos e terceiros colocados. Sim, os políticos e a imprensa também mentem, tanto quanto o povo. Usam as pesquisas para "bombar" candidatos e para frear adversários. É um jogo: "o povo" gosta de vencer disputas, então acaba se aliando aos nomes com chances de vencer.

Mal sabe o povo, que essa vitória do "palpite", da aposta, muitas vezes representa a diferença entre a derrota e a vitória de suas esperanças e conquistas pessoais na dura realidade do dia a dia.

8. Se alguém pedir, dê o número do celular.

É como fazem os candidatos, e parece que não têm saída. Por que diabos alguém quer atenção exclusiva de quem tem dia marcado e decisivo nas urnas, um encontro sempre urgente porque o tempo de campanha é curto? Por questão de prestígio. Vai contar para meio mundo que tem o celular do fulano, ter o número de um celular parece glorioso. É *status*. Não serve o do assessor, não vai servir o do gabinete, quer algo que o diferencie, quer estar acima dos reles seres humanos que o cercam.

Por isso, os candidatos eleitos e seus assessores trocam o número dos celulares logo após a eleição ou mesmo antes. O sujeito do peito estufado de prestígio vai ligar e ouvirá um sonoro: "Este número não existe".

Uma curiosidade:

Todo mundo conhece a piada do casamento que acabou porque o candidato só teve um voto. É só piada mesmo. Aqueles candidatos sem votos ou com quase nada de votos, não são candidatos de verdade. São servidores públicos que registram candidatura apenas para ficar de papo pro ar em licença remunerada nos meses de campanha. De dois em dois anos eles ficam três meses sem trabalhar, recebendo seus salários, porque a lei determina que o candidato é liberado para a campanha sem corte no salário. Registra candidatura, mas não dá um passo, é só malandragem mesmo. Pode apostar que muitos deles esbravejam contra a corrupção. Eu mesma conheço um monte.

DESCOBERTA NÚMERO 9

O devastador resultado das coligações:
a hora de cobrar o apoio.

Minhas descobertas do período de campanha me deram condição de entender o que narrei nos capítulos anteriores, mas, depois que a campanha terminou, veio a parte mais maluca, que foi acompanhar o modo como os governos se organizam após a vitória nas urnas.

O prefeito da coligação da qual fiz parte, venceu as eleições, o que foi ótimo não só por ser o melhor candidato, mas também para o meu aprendizado nos anos seguintes. Eu conhecia todo mundo que ocuparia cargos no poder, tanto os eleitos como os que ficaram de fora. Pensa no quanto isso era útil para quem queria descobrir outras peculiaridades da política.

Eu tinha ficado boquiaberta com os bastidores da eleição, mas descobri que aquilo era só o começo, um aperitivo. O melhor, ou pior, vem agora, o que aconteceu cerca de quinze dias após a divulgação do resultado.

Estava eu comendo minhas goiabinhas no escritório, tentando restabelecer a rotina profissional, quando oito dos meus colegas candidatos, que assim como eu não se elegeram, chegaram para me dar o que parecia uma ótima notícia. Eles haviam se reunido e escolhido meu nome para ser Secretária do Bem-Estar Social.

Eu poderia definir como ingenuidade o meu estado de profundo desconhecimento dos bastidores da política, mas a verdade é que era mais que isso. Eu era burra mesmo. De pai, mãe e parteira no que tange ao jogo de interesses que é a política no Brasil.

Minha primeira reação foi de surpresa. Como é que candidatos derrotados estavam escalando secretariado? Não era a atribuição do prefeito? O entendimento disso leva à compreensão de tudo o que você verá daqui para a frente sobre o sobe e desce de ministros e secretários estaduais ou municipais.

Há uma guerra interna e outra externa. Para cada ministro ou secretário escolhido, há uma lista de uns duzentos nomes que ficam de fora. Isso gera reações e ataques dos colegas de partido, ou coligação, que se sentem negligenciados. Quando a oposição quer desestabilizar um governo, a imprensa pode insuflar intrigas que geram verdadeira briga de foice, no escuro, dentro dos próprios apoiadores do governo. Inveja, ciúmes, ambição e generosas puxadas de tapete no cenário político é prato que se come no café da manhã, almoço, lanche, jantar e ceia. Se um desavisado passar um dia perambulando pelos corredores das sedes do poder, se perguntará se aquela gente não tem mais nada a fazer além de planejar a queda de uns e a ascensão de outros.

A escolha dos titulares de ministérios e secretarias está longe de ser uma deliberação do chefe do executivo eleito, e quando ele peita as imposições escolhendo por conta própria, ganha uma legião de inimigos internos.

Meus colegas, em caravana cívica, explicaram que o prefeito seria "obrigado" a dar algumas pastas para os apoiadores, e que eles já levariam meu nome como secretária e os nomes deles como minha esquipe de apoio. Cada um já tinha escolhido o seu cargo. O tom que usavam em relação ao prefeito não era assim tão amistoso. A suposta "aliança" dos tempos de campanha virou guerra por espaço após o resultado das urnas, e agora a luta era feroz entre os tais aliados.

Fiquei olhando para eles com o mesmo silêncio que me acometeu quando os empresários bonzinhos me ofereceram apoio financeiro. Imaginei o pobre do prefeito recebendo uma lista infinita de equipes prontas para cada pasta, cada um se achando no direito de ocupar lugar de destaque. Senti na pele o tormento e a coação que sofria o prefeito. Desconversei.

"Agradeço a confiança de vocês pela lembrança, mas o prefeito me conhece. Se julgar que precisa de mim, sabe onde me encontrar."

Surpresa? Rancor? Indignação? Não consigo definir o que estava no olhar dos meus colegas. Sei que se retiraram da minha sala como se tivessem sido estapeados. Não foi a minha intenção.

Acompanhei a formação do secretariado. Ali estavam muitos colegas, organizados por uma espécie de cálculo matemático, cada um lotado em funções condizentes com o peso eleitoral durante a campanha. A margem de escolha do prefeito era muito estreita, a maior parte das pastas era mesmo para pagar a conta do apoio recebido.

Amigos mais experientes me explicaram que aquilo era justo, resultado da "soma de esforços e contribuições dos que participavam do projeto político que elegeu o prefeito". Preferi entender que era a soma de todos os medos.

Era bonito explicado daquele jeito, mas eu mesma tinha sido convidada para fazer parte de um visível acerto de contas, num tom que não tinha nada do romantismo que eu via na tese oficial.

Imaginei como seria dirigir minha empresa sem a liberdade de escolher minha equipe, meus gerentes e chefes de setor. E deduzi que boa parte do trabalho de um chefe do executivo não tem a ver com a administração pública, e sim com o gerenciamento dos conflitos e cobranças, em apaziguar egos e exigências dos que se dizem aliados. A disputa pelos cargos era quase sangrenta.

Nos anos seguintes, vi amigos e adversários de campanha eleitos para o Legislativo enriqueceram rapidamente, como se cumprissem a interpretação que amigos fizeram do meu projeto político. Não posso acusar ninguém. Nunca se sabe quando a pessoa ganhou na Mega Sena ou recebeu uma herança. O fato é que alguns saíram de casas modestas, mudaram-se para condomínios fechados ou apartamentos de alto padrão. O fenômeno da multiplicação dos salários. Impossível não pensar em quem não tem onde cair vivo. Mas o número dos que mantiveram um estilo de vida condizente com a remuneração dos cargos era expressivo.

O próprio prefeito era um bom exemplo disso. Morava perto da casa de uns amigos meus, por isso pude observar melhor. A rotina da família não mudou em nada. Apesar das costumeiras acusações nas páginas dos jornais durante o seu mandato — não era do grupo apoiado pela imprensa —, nenhuma delas se manteve ao longo do tempo. Era só teatro mesmo, o jogo político que acontece nos bastidores. Surpreendente mesmo eram aqueles que, de fato, enriqueceram, não despontassem nos jornais. O prefeito acabou não se reelegendo. Saiu da prefeitura e voltou para a mesma casa, as mesmas flores, o mesmo banco, o mesmo jardim. Ensaiou um retorno à política oito anos depois, como candidato ao Senado, mas lá vieram os jornais e a justiça condenando-o depois de tantos anos e num momento crucial, a menos de um ano das eleições, e por um ato administrativo, não por corrupção.

Nessa época, já estava escaldada. Sabia perfeitamente como o Judiciário dava munição para que os jornais detonassem candidaturas, já tinha visto governador ligar para juízes ou desembargadores dizendo qual a sentença que esperava. Nada mais me surpreendia.

O exemplo acima mostra que um governo não é muito diferente de uma empresa em alguns aspectos. Embora um estoquista possa estar desviando mercadoria, isso não significa que o presidente da empresa seja ladrão. Se os funcionários do caixa se unem e montam um esquema conjunto de desvios e embolsam parte dos valores recebidos em dinheiro, isso não significa que o gerente seja ladrão.

As grandes redes de lojas e supermercados acrescentam um percentual sobre o preço dos produtos para compensar furtos de clientes e funcionários. Nenhuma gestão está 100% livre da ocorrência de ilícitos em todas as esferas de cargos e funções.

A grande dificuldade de um prefeito, como o que usei como exemplo acima: ao fatiar os cargos e espaços entre os partidos coligados, cada suspeita de desvio torna-se uma questão política, e questão política vira retaliação no Legislativo. Qualquer medida de repressão aos desvios pode se tornar um foco de incêndio que deixa o prefeito sem condições de permanecer no cargo. Os ataques assumem proporções gigantescas quando se trata de conluios envolvendo diversos partidos.

Por isso, as coligações são facas de dois gumes. No sistema eleitoral do Brasil, sem as coligações, você não se elege, e com elas, você não governa. A menos que faça um pacto de divisão dos desvios que englobe todo mundo, ou faça vista grossa para tentar governar até o fim do mandato.

DESCOBERTA NÚMERO 10

Ninguém aparece nos jornais por acaso.
A imprensa é o maior e mais caro
dos cabos eleitorais.

Sabe aquela sequência de candidatos que aparecem rapidinho no horário eleitoral em pose de múmia empalhada, ou tentando o estilo descolado, piadista ou de palhaço mesmo? Claro que sabe. Então, no afã de ser notado, muitos acabam fazendo misérias para atrair a atenção do eleitor nesses quinze segundos de fama.

Todo mundo fala mal do horário eleitoral, dizem que deveria acabar, mas, cá pra nós, é a única coisa mais ou menos democrática numa eleição. Dividem quase nada de espaço para um monte de gente, enquanto os privilegiados da mídia estão o tempo todo dando entrevistas nos jornais, aparecendo em matérias de TVs, sendo convidados para falar nas rádios, publicando matérias pagas e anúncios criados por marqueteiros que cobram fortunas.

Eu não paguei o mico. Como já estava mais de espectadora, gravei um áudio com a frase "Não vamos nos perder em nosso mundo colorido..." e mandei pra lá. Escapei do constrangimento. O tempo de ir ao estúdio para gravar aquela esquisitice, usei para descobrir como é que tantos aparecem nos jornais. Foi outro choque.

Todos os dias as páginas dos jornais estavam recheadas de candidatos defendendo suas teses, rádios faziam entrevistas com políticos e candidatos sobre os mais variados assuntos, TVs mostravam candidatos em suas caminhadas. Isso determinava, aos olhos dos eleitores, a força e reputação de cada um deles. Faz toda a diferença no modo como será recebido em suas andanças e tropeços...

À época, não sabia que jornal tinha lado e muito menos preço, achava que era intriga de derrotado. Não é. A coisa funciona assim:

Em todos os países — EUA, França, Canadá, Inglaterra... — tem lei regulando a imprensa para evitar que vire máfia. No Brasil, não tem. Se copiássemos a regulamentação dos Estados Unidos, já seria um bom avanço, mas aqui o povo confunde tentativa de regulamentar com censura e ficamos assim, com uma imprensa tipo a do Zaire, da Somália, grandes potências da miséria. E a imprensa não permite que isso mude.

Aqui não temos lei que proíba o cartel da imprensa, e aí os "donos da notícia" usam e abusam dessa lacuna jurídica. Mas isso já expliquei em detalhes no livro *Política - Como decifrar o que significa a Política e não ser passado para trás*. Aqui vou me ater ao que não mostrei lá.

Importante entender que eles, os veículos, adotam uma postura e prática para os **amigos** e outra para os **inimigos,** e essa "amizade" é definida pelo grupo que oferece a maior parte do bolo do dinheiro público quando está no poder.

Talvez seja esse o ponto mais determinante para quem quer entender como o jogo acontece nos bastidores, independente ou não de ser ano eleitoral.

Difamar um candidato adversário, ou construir imagem de guardião da moralidade para aliados, é café pequeno para os comunicadores. Muitos heróis consagrados no Brasil, nomes alçados por eles ao topo da glória, depois caíram em desgraça de forma vertiginosa por revelações dessa mesma imprensa. Isto mostra o uso e descarte de figuras públicas de acordo com o momento ou a conveniência dos grupos por trás das notícias.

Ninguém aparece mesmo nos jornais sem uma boa razão, e a campanha para a eleição seguinte começa no dia da posse dos vencedores. Para a imprensa, todo dia é dia de eleição. Ou seja, TVs, rádios e jornais são cabos eleitorais caríssimos, e fazem campanha o ano inteiro, vinte e quatro horas por dia. O desafio para o leitor é descobrir que lado está pagando a conta do tratamento dado a cada informação publicada.

 OBSERVE QUE OS POLÍTICOS APARECEM NOS JORNAIS EM TRÊS CIRCUNSTÂNCIAS:

1. NOTÍCIAS

Nas notícias, cuja divulgação é obrigatória por força do ofício, coisas como resultados econômicos, balanços, inaugurações de obras. Exemplo: "Inflação do ano fica abaixo das projeções" ou "Falta de medicamentos fecha hospitais".

Para notícias assim, varia o tempo na TV e o espaço dado nos jornais. Também varia o modo como "preparam" a notícia.

QUANDO O INIMIGO É O ASSUNTO

Se o veículo é de oposição a um governador, evitam aliar a imagem do governante às boas notícias, o tempo destinado ao assunto é curto, banalizam o feito, e logo passam para a pauta seguinte. Falam mais do fato e deixam para escanteio o autor do feito, desfigurando, diluindo o mérito do personagem.

Se o resultado é desfavorável, chegam logo com a cara do político e o nome do partido dele. Aí o tempo que dão à notícia pode ser gigante. Dois pesos, duas medidas. Permanentes. A notícia é dada de modo a favorecer ou desmerecer o político, dependendo da ligação do partido com o veículo que a transmite.

Uso as palavras "amigo" e "inimigo" de propósito. Para a imprensa em geral, não existe o tratamento que seria um pouco mais adequado: adversário.

2. ATAQUES e DENÚNCIAS

Em caso de alguma denúncia de corrupção, a regra é basicamente a mesma.

DENÚNCIAS CONTRA OS AMIGOS

Se a denúncia for contra um político **amigo**, aliado dos interesses do veículo, seja TV, rádio ou jornal, e não tiver lá grandes ou gigantescas proporções, eles simplesmente nem comentam, deixam passar batido, fingem que não existiu, esperam o assunto morrer. Se não puderem deixar de publicar, diante da dimensão do fato, moldam a notícia da seguinte forma:

Na TV

1. Evitam mostrar muito a imagem do acusado.

2. Na hora de apresentar a denúncia, usam uma voz bem amena, como quem conta um passeio de domingo no parque com a família.

3. No final, colocam a versão do político se defendendo com voz mais firme, potente, vigorosa. Quem tem a última palavra sempre tem razão.

Nos jornais

1. Publicam pequeno, escondido, evitando destacar o nome do partido e do acusado. Evitam o uso de foto chamativa para preservar, na praça, a imagem do amigo.

2. Colocam mais ênfase na defesa do que na notícia em si.

   IMPORTANTE: Se for político aliado, a notícia é dada e depois desaparece, cai no esquecimento. Não tocam mais no assunto para não influenciar os eleitores.

DENÚNCIAS CONTRA OS INIMIGOS

Se o acusado for um inimigo do grupo, fazem grão de areia virar deserto do Saara, a notícia vai para as manchetes, a sigla do partido e o nome do acusado são escancarados.

Na TV

Dão muito tempo de exposição e vão repetindo os fatos alegados, enquanto a imagem do político segue aparecendo como pano de fundo.

O acusado aparece bastante **para gerar desgaste na imagem pessoal**.

Nos jornais

Usam fotos gigantes do acusado para expor ao constrangimento e queimar o filme do sujeito aos olhos do público. Destacam o nome em letras garrafais junto à acusação.

QUEM NÃO PODE ACUSAR, PODE INVENTAR E DEPOIS SE RETRATAR. OU NÃO.

Também podem criar (inventar) uma denúncia inexistente ou sem embasamento, apenas para queimar a reputação do acusado, causar constrangimento. Em muitos casos podem em seguida negar. A denúncia aparece em destaque e ocupa grande tempo na programação do canal ou grande espaço nas páginas dos jornais. Depois, para escapar das penalidades previstas em lei em caso de serem processados, publicam uma "errata" (ou "erramos") que é apresentada em segundos na TV, numa voz bem robotizada a fim de não despertar emoções no telespectador. No caso de jornais impressos, a retratação ocupa espaços mínimos em lugares praticamente invisíveis.

Ou nunca negam e vão desgastando a imagem do acusado até a justiça inocentá-lo, o que pode levar anos.

A TÁTICA DA IRONIA

Outra técnica que usam muito é acrescentar um toque de ironia na defesa que o acusado apresenta, para desacreditar a fala dele. Funciona.

No caso de adversários, mantêm no ar a denúncia por dias, meses, anos consecutivos, repetindo cantilenas em versões que pouco variam. Já com os amigos, a coisa aparece uma ou duas vezes e ninguém fala mais do assunto.

3. PROJEÇÃO E PROMOÇÃO DE CANDIDATOS OU POLÍTICOS

Quando querem alavancar o prestígio de políticos, os convidam para "apontar soluções" para os problemas do município, estado ou país. Também é muito comum aliciar políticos adversários oferecendo-lhes destaque para falar mal do próprio partido ou grupo a que pertence.

Quanto mais o político diz o que eles querem na disputa política que o jornal capitaneia, mais aquele político será convidado a falar, mais espaço terá, o que para o político resulta em prestígio, numa mãe orgulhosa, filhos exultantes, amigos reaparecem ligando para parabenizar. Enfim, "projeção" garante "expectativa de poder". Esse é o calcanhar de Aquiles dos políticos ambiciosos. Muitos são capazes de atacar a própria mãe para aparecer nesses espaços e construir carreira própria.

Portanto, ninguém aparece no noticiário por mero acaso. Ao preparar a "pauta" do dia, o editor-chefe seleciona o conteúdo de acordo com os interesses do veículo. O que menos conta é a formação política do cidadão e o dever de manter a sociedade informada.

GRITOS DO SILÊNCIO

Outra coisa importante é entender os silêncios. **O que eles escondem, ou não falam, diz mais do que as coisas que mostram.**

Quando um político está ficando meio queimado por denúncias e é apoiado pelos jornais, usam muito o recurso de colocar o cara na geladeira, fazendo-o "sumir do mapa". Passam um tempão sem falar no sujeito, nem bem nem mal. Ele desaparece para preservar a imagem. O povo esquece rapidinho, depois o trazem de volta com a imagem novinha em folha.

Portanto, no período de eleições, se você faz parte do grupo apoiado pelo cartel da imprensa, já leva inestimável vantagem logo de saída, porque terá mais facilidade de dar visibilidade à sua candidatura.

Atenção: o fato de os jornais falarem bem ou mal de um político não significa que ele seja necessariamente bom ou ruim, e o que dizem de bom e de mal nem sempre é verdade. Imprensa no Brasil é ponta de lança de grandes negócios.

> CUIDADO COM A LÍNGUA DA CARA-METADE

Se o candidato é casado, precisa preparar o cônjuge para falar a mesma língua.

Certa vez, já como jornalista, fui entrevistar a esposa de um candidato ao governo e, entre respostas perfeitas, ela mandou essa pérola: "Deus disse que dará essa vitória para a minha família".

> "Meus deuses", pensei. "Por que essa mulher tinha que dizer uma bobagem dessas logo para mim?"
>
> A entrevistada era esposa de um candidato pelo qual eu nutria a maior simpatia, um sujeito simples, com boa visão política, e sua esposa acabava de colocar sua aspiração pela vitória como uma questão de *status* e ascensão social da família. Por ingenuidade, estupidez ou achar que era isso mesmo.
>
> Como eu tinha somente a atribuição de fazer a entrevista, notei que essa parte foi retirada pelo editor e a publicação. Melhor para ela. Péssimo para os leitores.
>
> Meu candidato foi derrotado para a minha tristeza e alegria. Se por um lado foi ruim ver o melhor candidato ficar de fora, por outro, sentia como positivo a derrota de uma primeira-dama que aparentemente considerava uma função tão determinante na política como trampolim social.
>
> Há sempre uma possibilidade de o cônjuge exercer algum poder de influência nas decisões do candidato eleito. Por isso as pessoas estarão sempre de olho no marido ou esposa de quem concorre ao cargo. Demorou a passar meu desejo de dizer para ela:
>
> "Não, minha senhora, Deus não garantiu vitória alguma para a sua família. Ele não seria leviano assim".

TODOS OS GATOS SÃO PARDOS. OS DOSSIÊS, UMA INDÚSTRIA, TAMBÉM

Nos meus tempos de jornal, entrava em pânico toda vez que encontrava um envelope pardo jogado na entrada da garagem. Acompanhara muitos casos de candidatos norte-americanos que renunciavam à disputa depois da divulgação de uma foto ou prova incontestável para produzir um escândalo qualquer. Uma delas me atraiu maior atenção: O candidato aparecia sorrindo com uma mulher de biquíni sentada em seu colo e agarrada à nuca dele numa situação que não deixava margem de dúvida a respeito da natureza de suas relações. Por quem esse candidato teria se deixado fotografar com tanta confiança e num momento tão íntimo?

Outro caso é de um político brasileiro. Uma filmagem da família dentro de uma limusine e da intimidade do grupo a bordo de um jatinho na volta ao Brasil escapou para a imprensa. Como? Só havia parentes e amigos muito próximos registrando a alegria familiar. Mas caiu na internet.

A política moderna, com o avanço da tecnologia, tornou-se desde o começo deste século uma guerra de espionagem nunca vista, nem mesmo nos tempos da Guerra Fria. Qualquer pessoa pode fazer gravações de conversas, filmagens e fotos através do celular. Grampear telefones é arroz com feijão para um técnico que nem precisa ser especialista em nada.

Graças a isso, ocorreu a proliferação de uma figura nova e desconhecida ainda da grande maioria: o infiltrado. Pessoas plantadas num meio pelos adversários ou aliados cooptados. A função delas é ganhar intimidade suficiente para produzir provas de situações comprometedoras e influenciar grupos a tomar caminhos que levam às armadilhas planejadas pelos inimigos políticos.

Nunca entendi colocarem essas "bombas" invariavelmente em envelopes pardos, só sei que passei a ter medo deles. Sempre que encontrava algum jogado na entrada do jornal, encontrava lá dentro verdadeiros explosivos contra políticos. O problema de ser confrontado com eles é que, dependendo das mãos em que caírem, o risco passa a ser seu. Nesse departamento, quanto menos você souber, melhor.

Mas perdia tempo quem enviava para mim. O foco do meu trabalho sempre foram os dados econômicos, o desempenho administrativo, número de escolas, leitos hospitalares, endividamento do estado ou município. Para o eleitor, para o cidadão instruído politicamente, a corrupção pode ser muito mais claramente observada quando se analisa se sobrou dinheiro para aplicação ou se desapareceu num passe de mágica no meio do nada. O resultado de cada gestão e observações de caráter técnico podem indicar, de forma muito mais consistente, a prática da corrupção. Pena que isso não chega ao cidadão. A imprensa não tem a menor vontade de tornar seus leitores aptos a raciocinar.

O que está mesmo na moda é a utilização dos envelopes pardos no jogo político, o uso dos dossiês, o que nos leva a entender como a imprensa pode ditar ordens, decretar sentenças e controlar o jogo, que deixa de ser político, e passa para uma guerra suja travada longe dos olhos dos leitores.

A IMPRENSA DETÉM O PODER SOBRE AS REPUTAÇÕES

Nos países avançados, a imprensa é o quarto poder. Mas há quem diga que, hoje em dia, é o primeiro. Nos países subdesenvolvidos ou em desenvolvimento, não tenho a menor dúvida. É ele que faz e desfaz reputações.

Ninguém é tão impoluto que não tenha nada que não queira revelado, seja a respeito de si mesmo, de um filho, marido, esposa, irmãos. Por isso há sempre aquelas situações em que uma sentença aparentemente óbvia sofre revés incompreensível. O poder judiciário é o maior alvo de chantagens, algumas delas explícitas em manchetes de jornais. Um bom observador percebe logo o jogo, quando se lembra do que já foi dito antes: ninguém aparece nos jornais por acaso, o que resulta na seguinte situação:

A IMPRENSA MANDA NO PODER JUDICIÁRIO
E O PODER JUDICIÁRIO NOS POLÍTICOS

A imprensa, quando fortemente organizada, pode tudo. O leitor comum não tem como entender os critérios de julgamento e muito menos o emaranhado de detalhes técnicos a que recorrem para construir uma condenação. O que conta para o mundo leigo é a manchete do jornal, e nela estava escrito que o ex-prefeito foi "condenado". Palavra forte, não é mesmo? A gente está acostumada a ver condenação de bandidos, de criminosos. Pois na política usam o mesmo termo para se referir a um lançamento de um servidor subalterno numa prestação de contas, ou para apreensão de fortunas em paraísos fiscais. Do mesmo modo, o poder judiciário tem critérios que nem Einstein reencarnado entenderia. Podem condenar alguém pela suspeita mais pueril, e arquivar denúncias de proporções gigantescas que envolvem desvio de fortunas incalculáveis.

Difícil entender condenação de adversários políticos por um grupo que tem mais bala na agulha e os aliados certos, como quando se juntam integrantes do judiciário com os meios de comunicação.

"Ah, mas são muitos jornais dizendo a mesma coisa."

Essa questão, só entendi direito quando passei a fazer comentários políticos numa rádio não oficialmente ligada a nenhum grupo. Lá, descobri que os veículos supostamente independentes informam-se somente através dos grandes jornais, e noticiam exatamente aquilo que extraem de lá.

Portanto, a imprensa no geral é mera reprodutora do que propagam os grandes, aqueles veículos conduzidos pelos integrantes do grupo de comando do poder central. O que tentei na rádio foi apresentar o outro lado. Em vão.

Por mais que eu apresentasse elementos concretos, dados, fontes e provas de uma realidade contrária, eu era uma voz contra o grito de dezenas. Afinal, dá um certo desânimo remar contra a maré.

Se você não entendeu ainda — e admito que é um pouco complicado —, basta checar diversos veículos de imprensa logo pela manhã. Vai confirmar que os grandes publicam supostas "notícias" e os demais apenas as replicam ao longo do dia. A lógica disso também está detalhada no meu livro anterior.

> O MURO NÃO É BOM POSTO DE OBSERVAÇÃO

A tentação de ficar em cima do muro quando seu partido ou o candidato majoritário sofre denúncias é grande, e muitos são vencidos por ela. Mas note que, a longo prazo, os muito conciliadores não se mantêm.

Diante de uma denúncia contra o cabeça da sua chapa, nunca diga: "Precisamos averiguar cuidadosamente essas denúncias". Se você não verificou, não foi atrás, não sabe e continua na chapa, isso depõe contra você.

Outra coisa muito comum é querer ficar bem com todo mundo: "Todos os candidatos são valorosos, cabe ao povo escolher o que...". Se todo mundo é bom, então você pode ir pra casa assistir futebol, porque o mundo não precisa da sua contribuição.

Pode observar que, inclusive no cenário nacional, mesmo os grandes nomes que evitam se posicionar com firmeza acabam caindo no ostracismo político. Diga SIM, diga NÃO, posicione-se, tenha personalidade, assuma um lado e defenda-o com unhas e dentes. A plateia no cinema pode torcer pelo mocinho ou pelo bandido, mas depois ninguém torce nem se lembra dos coadjuvantes, aqueles personagens sem sal nem açúcar que circularam pela trama.

Neutralidade em política não existe. O que existe é omissão.

CAIXA DOIS VIROU CAIXA DE PANDORA

Caixa de Pandora é aquela da mitologia. Quando aberta, haja desgraça. O caixa dois é a desgraça dos nossos tempos. Para entendê-lo, tem que sacar antes o verdadeiro significado de financiamento privado de campanhas. Se eu disser:

"Sem a aprovação do financiamento público (dinheiro dado pelo governo) de campanhas, não adianta falar sobre combate à corrupção".

Aposto que você pensa logo:

"Há controvérsias".

Deslavada mentira, não há controvérsias, ninguém duvida disso, e o que partidos, políticos e a imprensa fazem quando mostram aparentes divergências, é pura embromação. Tanto que nenhum país decente adota o financiamento privado. Pode conferir no Google. Noruega, França, Alemanha, Canadá. Navegue pela internet e tire a questão a limpo.

Financiamento privado é sistema do qual corrupto não abre mão. O argumento que usam, para gerar confusão na cabeça do povo e que não passa de uma grande mentira, é o seguinte:

"Não é justo que você tire dinheiro do seu bolso para pagar campanha de políticos". Ou corruptos, como falam frequentemente.

Pura embromação. Estão fazendo o povo de otário. No financiamento por empresas, o valor da doação que repassam aos candidatos, é deduzido do Imposto de Renda.

Sacou? De todo jeito o dinheiro sai mesmo é do bolso do contribuinte. O que muda, se for entregue direto das mãos do governo para os partidos, é que acaba com a farra do caixa dois, com a dúvida entre dinheiro limpo e propina.

Seria bem simples fiscalizar. Bastaria conferir o valor entregue pelo governo e fazer as contas do quanto os candidatos gastaram. Desse modo, não haveria mais como político nem servidor público alegar que o pedido de "ajuda" seja para campanha. Quem quiser superfaturar contratos ou coagir empresas a pagar "caixinha" vai ter de assumir que é um corrupto, ladrão.

Basta olhar quem defende o financiamento público e quem é contra ele. Vai descobrir direitinho quem usa o sistema para nadar de braçada em dinheiro público e quem usa para campanhas.

Para um candidato probo, o financiamento público é uma proteção. Acabariam as acusações genéricas das quais, muitas vezes, não pode se defender. Para quem quer se aproveitar da desculpa para fazer fortuna com política ou perseguir adversários é que a mudança atrapalha.

> **"Ele aceitava para campanhas, mas nunca aceitava para comprar um quadro bonito"**
> (Jacqueline Kennedy, reclamando do marido John Kennedy em 1963)

É isso mesmo que o leitor está pensando. Estamos cinquenta anos atrasados para falar sobre um assunto que os americanos já tratavam com naturalidade e com toda a clareza que precisa ser tratado no Brasil, cercado de tabus e mentiras.

2015. Vá na internet, verifique os jornais e relembre as notícias de então. Não se falava de outra coisa. Dinheiro para campanhas recebidos por políticos de todos os partidos, dia e noite, em todos os jornais. Você ligava a TV, podia mudar para quantos canais quisesse, o assunto era sempre o mesmo. Não conferi nos canais pornôs, mas em todos os outros, o mundo parecia girar em torno do dinheiro das empresas para campanha política, tudo cercado de tantas complicações, que até parecia que estavam falando num dialeto que a gente nem conseguia identificar. Uma hora era dinheiro sujo, outra, dinheiro limpo, uma hora chamavam de caixa dois, outra, de propina, todo mundo acusava todo mundo. E, como eu já tinha visto de perto tudo aquilo e sabia como era tratado nas coxias, fiquei incrédula ao ver como os noticiários tratavam o assunto, como se fosse notícia quente, a descoberta das Américas. Como bem disse Emílio Odebrecht ao prestar depoimento na Lava-Jato:

> **" O que me surpreende é quando eu vejo todos esses pode-res, a imprensa, tudo como se isso fosse uma surpresa. Me incomoda isso".**

Digite a frase dele na barra de endereços da internet e leia a matéria completa.

Foi bem cínico da parte dos políticos e bem hipócrita da parte da imprensa. Chegava a ser irritante como tratavam algo que, se havia alguma novidade, era para o eleitor aqui do lado de fora. No meio político e jornalístico todo mundo sempre soube e ninguém falava disso aos sussurros. Do nada, a coisa virou a terceira revelação de Fátima. Foi bem deprimente acompanhar. Dava uma sensação estranha, principalmente quando William Bonner falava. Uma voz dentro da minha cabeça dizia: "Pô, Bonner, até tu?".

Enfim, chumbo grosso trocado na frente das câmeras só para inglês ver. Até dom Pedro II, o que elegia era a certidão de nascimento. Do marechal Deodoro da Fonseca pra cá, todo mundo fez campanha do mesmo jeito.

O que não falavam. Em todos os países do mundo, as provas de corrupção não são atreladas ao que o candidato ou partido recebem de doações, mas ao enriquecimento dos políticos.

O que se investiga por lá são os "sinais exteriores de riqueza". Daí se parte para checar se os gastos do político e familiares batem com os rendimentos declarados.

No Brasil, fez-se justamente o contrário. O acúmulo de bens foi ignorado, enquanto o termo "propina" passou a ser usado largamente. A definição correta seria "doação de campanha". Aquele valor declarado pelas empresas e na prestação de contas dos candidatos.

Em 2015, veio a proibição. Empresa não pode mais doar. Eu sabia que era pura cascata, mas era um segredinho entre nós, coisa restrita a mim e à torcida do Flamengo, do Vasco, do Fluminense, do São Paulo, da Ponte Preta, e todos aqueles que recheiam as tabelas da segunda, terceira, quarta divisão, com acréscimo dos times de várzea. Era um segredo apenas entre nós, esse nós que engloba todo mundo. Se proibiam financiamento de campanha, mas não liberaram o financiamento público, os candidatos e partidos voltariam a adotar a monarquia, botando seus filhos no lugar? William Bonner nunca tratou do xis da questão.

Fiquei quieta. Queria ver que explicação dariam à origem do dinheiro que sustentaria as eleições de 2016. Então era só esperar passar e ver a divulgação das prestações de contas.

Mas eu não contava com tanta astúcia — ou cara de pau. Teve eleição, mas ninguém explicou a origem do dinheiro para todos os partidos e todos os candidatos eleitos.

O assunto morreu. Nem William Bonner, nem as torcidas dos times acima citados, nem *toute le monde* que mencionei se lembraram de conferir as campanhas de 2016. Tribunais regionais ou superior? Necas. Ministério Público? Nada. Moro? Silêncio sepulcral.

Ainda procuro todos os dias nos jornais para ver se alguém vai lembrar o quanto isso era importante, grave, sério. Posso ter sonhado, acho mesmo que nada daquilo aconteceu, foi tudo fruto da minha imaginação a tal mudança de sistema. Mas que ainda tem gente presa pelo que era crime em 2015 e deixou de ser em 2016, isso tem. Só que mudaram as razões.

> UM POUCO MAIS SOBRE DINHEIRO, PROPINA E CAIXA DOIS

1. A lei permitia que empresas doassem dinheiro para campanhas. Vou repetir: esse dinheiro nem era propriamente delas, era dinheiro público mesmo, tudo o que doassem a candidatos ou a partidos podia ser deduzido do que eles teriam de pagar como Imposto de Renda.

É uma pegadinha dizer que é injusto o contribuinte arcar com a despesa, certo?

Se você tem alguma coisa a receber e, em vez de te pagar dão dinheiro para o candidato e deduzem do que é seu, a conta é sua do mesmo jeito, não muda nada. Só muda que, no lugar de você primeiro receber e depois repassar para eles, o desconto é feito no caminho. Drummond puro: no meio do caminho tem um desconto, tem um desconto no meio do caminho.

Quem diz que a conta não deve ser transferida para o contribuinte, confia na total ignorância do eleitor. Como quase ninguém sabe que pode ser deduzido do Imposto de Renda, os impostores se divertem.

2. A lei — já disse que é falsa — também estabelece limites para o valor que se pode doar. É um percentual de apenas 2% de sua receita anual. Como é muito baixo, não dá nem pra largada. Pelo noticiário você já percebeu. Todas as empresas fazem como os que me ofereceram ajuda. Dão dinheiro para quase todo mundo, mais para os que têm chances maiores de vitória, menos para os que dão pinta de não sair da lanterna. Por isso, não declaram as doações. Mas que ninguém se iluda. Como o valor permitido por essa lei *fake* é baixo demais, nem as empresas contabilizam direito o que é limpo ou sujo. O que sai contabilizado mal daria pra ajudar um candidato a vereador. Imagina uma campanha do topo da pirâmide. Resumidamente a coisa fica assim:

Dinheiro limpo:
Doação de no máximo 2% do valor declarado de faturamento anual, depois descontado no Imposto de Renda da empresa.

Dinheiro sujo:
Grosso das doações que não cabem nesse percentual dos 2%.

Caixa dois

Aquilo que toda empresa tem, e de onde sai a maioria dos recursos que usam para doações a candidatos e partidos, fora os 2%.

(Como os três pegam todos ao mesmo tempo, temos as duas patéticas situações: ou todo mundo acusa todo mundo, ou todo mundo se cala, como aconteceu na campanha de 2016.)

Propina

Dinheiro repassado para fins pessoais, sem relação com a campanha.

Claro que a imprensa usa cada termo na hora que lhe convém, e aproveita a confusão na cabeça do povo para falsear situações e aliviar os que quer proteger.

E COM VOCÊ, A LINHA AUXILIAR: ALUGADOS PRA ESCULHAMBAR

E para quem pensa que essa recente proibição de doação de empresas aprovada em 2017 tinha algum propósito louvável... puro engodo. Logo no início de 2018, dia 20 de fevereiro, sem fazer alarde o governo incluiu o *lobby* no cadastro de atividades profissionais. Ou seja... agora o que era conhecido como "corrupção ativa" passa a ser permitido sem que se conte a verdade inteira. Escondem que essa é uma prática que fere os princípios básicos da democracia e simplesmente agem para que ela seja dotada de legalidade, com nome estrangeiro e difícil para ninguém entender muito bem do que se trata. Lobista significa: "influenciador de políticos". Assim, os "influenciadores" contratados a peso de ouro por grandes grupos passarão a circular por gabinetes políticos como se fosse normal, como um vendedor que visita empresas, mas o propósito deles é o de influenciar nas decisões dos parlamentares. Isso só é permitido nos EUA. Os países com mais rigor ético e menos corrupção veem com péssimos olhos, uma prática indecente, porque todo mundo sabe o resultado deste tipo de relação: os pequenos não podem pagar lobistas e os lobistas não usam somente de "bons argumentos" para conquistar a simpatia para seus produtos, empresas, grupos ou interesses.

Podemos tomar como exemplo o *lobby* dos fabricantes de armas durante uma votação sobre armar ou não os guardas municipais. Você pode imaginar o valor que isso acrescenta no faturamento dos fabricantes de armas? Eles terão muita bala na agulha para seduzir parlamentares pela aprovação, e usarão todas elas.

Já estão fazendo exatamente isso para aprovar o *lobby* no Congresso: gastam fortunas em propaganda e matérias que fazem o *lobby* parecer inocente, mas note que não explicam o porquê de uma coisa tão positiva não ser aceita no Canadá, na França, Suécia, Suíça, Noruega... Vigora nos Estados Unidos e debaixo de críticas severas das instituições que tentam combater a corrupção.

Vetar doação de empresas e liberar *lobby* é trocar uma hipocrisia por outra. Nada mais.

A maioria dos eleitores ainda não se tocou.

Nos debates há sempre aqueles candidatos dos partidos nanicos que servem de metralhadora giratória, atirando aparentemente contra todos. Muita gente pensa que eles não têm rabo preso, falam o que querem sem medo de nada. Na verdade, a maioria dos partidos nanicos faz campanha com o grosso do dinheiro doado às escondidas pelos partidos grandes ou alugam suas legendas para os partidos maiores. Eles fazem parte da estratégia dos gigantes para dividir votos dos adversários.

A combinação mais comum é liberar o candidato do partido nanico a bater nos dois lados, situação e oposição, mas a força do cruzado de direita ou de esquerda varia de acordo com a estratégia nada honesta que traçaram com o seu financiador. Desse modo, passam a impressão de neutralidade, mas acabam servindo como boca de aluguel pelo financiador para acusações e falas de baixo nível, que os maiores devem evitar para manter uma imagem de alguma civilidade.

Como dizia Jacqueline Keneddy, sendo a doação por empresas o sistema oficial, não deve ser considerado corrupto quem recebe dinheiro de empresas estritamente para pagar despesas de campanha. Corrupção é pegar para comprar quadros bonitos, iates, jatinhos, mansões ou para contas na Suíça. Aliás, a definição do juiz Sergio Moro não podia ter sido mais infeliz. Disse que receber dinheiro para depositar fortunas em contas na Suíça pode, não pode é usar em campanha. Aí interfere na política. Que delícia de guerra à corrupção!

Não sinto inveja de Jacqueline Keneddy nem por seu corpo de modelo, nem pelos sapatos, nem por ser diva que lançava moda que dura até hoje. Invejo por poder falar sobre esse assunto com tamanha liberdade, sem aquele sentimento incômodo que faz a gente se perguntar sempre se não falou demais, mesmo que todos saibam que, no meu caso, só falei o que acontece e que todo mundo do meio está cansado de saber.

TENTE, INVENTE, FAÇA UM BRASIL DIFERENTE
(VALE A PENA TENTAR)

Bem no começo deste livro, disse que minha paixão pelo patinho feio chamado Política, permanece viva, mesmo depois de tantos anos de uma relação diversas vezes discutida comigo mesma. Contei na abertura que desisti logo de cara para não fazer parte do jogo. Mas, se dei a impressão de que o eleitor é sempre interesseiro, não era minha intenção. Tentei evitar generalizações. Uso sempre o termo "boa parte", "a maioria".

Seria uma tremenda ingratidão com os eleitores. Tirei inúmeras lições da campanha e tive uma agradável surpresa naquela eleição.

Quando as urnas foram abertas, algumas centenas de votos foram contabilizados para mim. Poucos, mas significativos.

A maioria deles, certamente veio de gente sem a menor expectativa de retorno, de quem não pretendia me cobrar coisa alguma, de gente que acreditava, assim como eu, que não devemos nos perder em nosso mundo colorido, enquanto tantos vivem ainda em preto e branco, o mote da campanha.

Há nisso uma simbologia enorme, uma grande esperança. É preciso lembrar. Minha campanha-relâmpago se resumiu a pouquíssimos panfletos, nada além de três textos em que falava sobre a necessidade de uma paz coletiva pautada no combate às injustiças seculares que resultaram em fome, miséria e exclusão de tantos brasileiros.

Estava situada no início da década passada. Vimos, de lá para cá, uma sensível inclusão e redução da pobreza através de políticas públicas que acabaram dispensando as cestas básicas. A fome nos centros urbanos deixou de existir. Portanto, é através da Política maiúscula que a evolução acontece.

Entre a fome dos meninos da trempe e a minha reputação, fiz uma escolha que hoje entendo como pessoal. Não tive maturidade de colocar o que era pessoal e o que era coletivo nos dois pratos da balança. Mas, à época, era muito jovem para sacar que a defesa de uma imagem virtuosa era de natureza egoísta e burra. Ninguém escapa da maledicência. É uma rematada bobagem levar isso em conta em suas decisões. As pessoas vão falar mal de você de qualquer jeito, e ao longo da vida não escapei das acusações de ter me corrompido por meu envolvimento emocional com a política. Embora ninguém jamais possa apontar onde coloquei o tal dinheiro da corrupção.

Mesmo tendo entendido tudo isso, descobri que minha natureza não combina com o exercício da política dentro do sistema. Um fato ilustra muito bem minha falta de habilidade nesse departamento. E serve de alerta para situações que um eventual candidato pode enfrentar.

Em minhas andanças de panfletagem na corrida eleitoral, saí um dia do trabalho por volta das 7 da noite, fui passando pelos bares, as pessoas ali sentadas aparentemente acessíveis a ler um texto curto.

Em algumas mesas as pessoas eram tão receptivas, que eu acabava puxando uma cadeira e levava um papo. Numa delas, havia um casal de meia-idade e outro jovem, parecia pai, mãe, filha e genro. Pedi licença, me aproximei, dei um sorriso amistoso, disse que não queria atrapalhar. Mas, ao deixar o folheto na mesa, a senhora empurrou minha mão com rispidez e disse com um ar grosseiro:

"Não quero isso. Já tenho candidato, pode sair daqui".

Pensa! Tenho um instinto de autodefesa aguçadíssimo. Diante de agressões, simplesmente, brota uma coisa dentro de mim. Pois baixou, ali, diante daquela mulher, essa tal coisa. Então olhei bem pra ela, me abaixei para forçá-la a manter contato visual comigo, e não faço ideia de quantas chispas de fogo eu tinha nos olhos, mas foi em voz baixíssima que eu disse:

— Minha senhora, por gentileza, olhe bem para mim.

Ela já estava olhando, os olhos arregalados.

— A senhora me conhece?

Ela permaneceu calada. Continuei.

— Não, a senhora não me conhece, assim como quase ninguém. Portanto, nós duas sabemos que eu não serei eleita. Eu não estou aqui para mendigar um voto seu, que, dispenso. Estou aqui para deixar um simples *flyer* que propõe algum nível de reflexão, na tentativa de tornar o mundo um lugar mais respirável, com gente mais civilizada. Saiba que eu trabalhei até agora, tenho filhos pequenos em casa, e o mínimo que a senhora poderia fazer era pegar a porra deste *flyer* e ler o que está escrito. Agora, faça a gentileza de pegar esse papel e ler até o fim, pois quem sabe ele lhe torne uma pessoa um pouquinho melhor.

Fez-se a mágica. Ela estendeu a mão educadamente, eu entreguei o impresso, me ergui, coloquei no rosto outra vez o sorriso de Monalisa, desejei uma ótima noite, e segui meu caminho.

Essa é uma das provas, de resultado imprevisível, que alguns candidatos a político precisam estar dispostos a enfrentar.

"Político não passa de um empregado do povo e temos que cobrar deles."

Quanta grosseria. Eu nunca me referi a um funcionário meu com esse tipo de grosseria, e abomino aquelas madames sem noção que gostam de dizer "empregada é para isso mesmo, para limpar o que a gente suja". Nunca aceitei isso na minha frente. Não sou obrigada e nem aceitaria quando se referissem a mim nesses termos, como muitos acham até bonito falar sobre os políticos.

Se tivessem mais empenho em conhecer e melhores critérios para escolher, se tivessem mais dedicação em buscar a verdade das coisas, escolheriam políticos melhores.

A verdade é que conheci políticos abomináveis e bons políticos. E vi muita gente do povo, de boa índole. Mas a parte abominável me desiludiu inteiramente. Eu, de fato, não trabalharia para pessoas assim.

Vi um círculo vicioso na política: o povo se vinga do político humilhando, mesmo sem ter motivos e achincalhando pessoas públicas. Mas muitos políticos também se vingam do povo, muitos odeiam o povo por sentir a força que tem quando se volta contra eles.

Como prefiro lidar com o lado bom das pessoas e enxergar o melhor nelas, só pude concluir que realmente não nasci para tal enfrentamento.

Esta aí a minha fraqueza. Há quem saiba abstrair, há quem saiba ignorar, há os melhores ainda que aprenderam a planar sobre isso, ou resistir a isso. Nesse quesito minha nota foi zero. Deixo o ofício para os fortes em tolerância.

Escrever tão duramente sobre o eleitor, é coisa de quem não pretende mesmo ser candidato. Sou bem consciente de que este livro acaba sendo um tratamento de choque, mas o objetivo é despertar as pessoas para a necessidade urgente da mudança de postura do eleitor, se quisermos um quadro político melhor. Sem a politização, sem uma bagagem mínima de conhecimento, o povo fica à deriva, sem condições de definir o que é melhor para a sociedade.

Meu desejo nada secreto é que este livro produza ao menos um candidato que venha a cumprir algumas das coisas que sonhei. E mais importante: passe a ser merecedor do voto de um eleitor mais politizado, o que também está nos meus sonhos.

LEIA TAMBÉM

Política. Como decifrar o que significa a Política e não ser passado para trás. Um guia politicamente correto para entender o sistema de poder no Brasil, opinar e debater a respeito.

Não fique por fora dos temas que agitam o país. Veja aqui o que você precisa saber para entender, opinar e debater política e atualidades. O pior analfabeto é o analfabeto político. Ele não ouve, não fala, nem participa dos acontecimentos políticos. Ele não sabe que o custo de vida, o preço do feijão, do peixe, da farinha, do aluguel, do sapato e do remédio dependem das decisões políticas.

> O analfabeto político é tão burro que se orgulha e estufa o peito dizendo que odeia a política. Não sabe o imbecil que, da sua ignorância política, nasce a prostituta, o menor abandonado, e o pior de todos os bandidos, que é o político vigarista, pilantra, corrupto e lacaio dos exploradores do povo.
> Bertolt Brecht

INFORMAÇÕES SOBRE A
Geração Editorial

Para saber mais sobre os títulos e autores
da **Geração Editorial**,
visite o *site* www.geracaoeditorial.com.br
e curta as nossas redes sociais.

Além de informações sobre os próximos lançamentos,
você terá acesso a conteúdos exclusivos
e poderá participar de promoções e sorteios.

geracaoeditorial.com.br

/geracaoeditorial

@geracaobooks

@geracaoeditorial

Se quiser receber informações por *e-mail*,
basta se cadastrar diretamente no nosso *site*
ou enviar uma mensagem para
imprensa@geracaoeditorial.com.br

Geração Editorial
Rua João Pereira, 81 – Lapa
CEP: 05074-070 – São Paulo – SP
Telefone: (+ 55 11) 3256-4444
E-mail: geracaoeditorial@geracaoeditorial.com.br